Les quelques secondes qui pourraient changer votre vie

Une heure de lecture pour maximiser les quelques secondes qui pourraient changer votre vie ! *L'Art de réussir sa première impression* vous livre tous les secrets, de l'art de la conversation dans les réunions de réseautage à la « technétiquette ». Ces conseils judicieux sont présentés de manière concise, avec beaucoup d'exemples. Ils sont marqués par le respect de l'autre, si rare dans l'univers accéléré du monde des affaires d'aujourd'hui.

—Nicole Morin, Consultante, Communications en ressources humaines

Dans toutes les professions, qu'il s'agisse des sports, des sciences du monde des affaires etc., la performance est le résultat d'une préparation méticuleuse. En affaire, cette préparation entreprise de façon constante est très importante. Il ne s'agit pas seulement d'atteindre le but, mais de pouvoir y rester. Vous devrez transmettre une image professionnelle de vous-même qui s'apparente à votre plan d'affaires ou d'activités. C'est un défi que vous devez relever chaque jour et qui fera de vous une personne digne de sa profession.

—Harry N. Villeneuve, Directeur National des Ventes, Cogeco Câble Inc.

L'Art de réussir sa première impression offre des conseils pratiques et sensés que vous pouvez utiliser immédiatement pour contrer la concurrence.

—Andrei Pancu, Ingénieur en logiciels, Peernet, Inc.

Lorsque je pense à l'étiquette en affaires et aux secrets de faire une bonne première impression, je pense automatiquement à Goldman et Smythe. Leur livre pourra vous aider à améliorer vos contacts et à songer à des stratégies pour mieux bénéficier des opportunités.

—Marc André Morel, Conférencier professionnel

Créer une impression mémorable lors d'une première rencontre, et tout cela en dix secondes, il faut le faire. Goldman et Smythe touchent à tous les éléments essentiels à la réussite dans le monde des affaires d'aujourd'hui. Leur livre contient 105 « trucs » faciles à comprendre et immédiatement applicables à nos activités quotidiennes. American Express, lors d'une campagne publicitaire, disait qu'il ne fallait jamais sortir sans sa carte. On pourrait dire la même chose de ce livre. Ne vous aventurez pas dans le monde des affaires sans vous laisser guider par lui. Il vous fournit des exemples de comportements et de conversations qui vous aideraient à mieux profiter des relations d'affaires.

—Michel Daigle, Associé principal, Communic.aide Michel Daigle

Même si l'habit ne fait pas le moine, la première impression reste déterminante pour quiconque veut réussir dans le monde des affaires. Avec ce petit guide, vous partez vos relations d'affaires du bon pied.

—Louise Macdonald, Knightsbridge Bussandri Macdonald

Il s'agit d'un ouvrage complet et instructif sur l'étiquette dans le milieu des affaires. Il est clair, concis, direct et facile à lire et à comprendre. J'ai particulièrement aimé les citations des personnes qui ont un contact direct avec les candidats.

—Omer Mendelson, étudiante de l`Université McGill

Je crois que votre livre devrait être lu dans tous les Cégeps et les universités. C'est un plus pour notre éducation !

—Ray Vincent, Conférencier

L'art de réussir sa première impression

Lynda Goldman

Sandra Smythe

GSBC

Personne-ressource :
Lynda Goldman
2216 Méditerranée
Montréal (Québec)
Canada H4R 3B1
Tél. : (514) 336-4339
Téléc. : (514) 336-9805
Lynda@impressforsuccess.com

Données de catalogage avant publication (Canada)

Goldman, Lynda, Date –
L'art de réussir sa première impression

Comprend un index
ISBN 0-9694996-1-2

Succès en affaires. 2. Étiquette professionnelle.
I. Smythe, Sandra, Date – II. Titre

HF5389.G64 2000 650.1 C00-900532-3

Couverture : Monica Kompter
Mise en page : Wendi Petersen, Éditique Bunbury

Imprimé et relié au Canada

L'art de réussir sa première impression

Où en êtes-vous dans votre cheminement de carrière? Songez-vous à changer d'orientation? Êtes-vous en recherche d'emploi ou pressenti pour une promotion? Travaillez-vous au service à la clientèle, dans les ventes ou le marketing? Faites-vous de la prospection pour la petite entreprise que vous venez de fonder? Quel que soit votre cas, vous serez en contact avec des gens capables d'influencer le cours de votre carrière. Et vous ferez sur eux une impression qui aura de l'effet, favorable ou non.

Ce n'est pas l'impression que vous donnerez aux gens à la première rencontre qui vous fera décrocher le poste ou la promotion souhaités, du moins pas tout de suite. De toute manière, là n'est pas son rôle. Plutôt, la première impression vous ouvre des portes, pour que vous puissiez faire ensuite une deuxième, puis une troisième impression. Chaque fois, vous renforcerez la première impression produite. Voilà comment vous parviendrez à faire valoir vos mérites.

Mais il y a un hic. Faute d'une bonne première impression, peut-être qu'il n'y en aura pas de deuxième! Donc, la première impression est la clé de toutes les portes. Une fois maîtrisé l'art de faire impression, vous pourrez vous en servir en tout temps, facilement et simplement. Les règles que vous apprendrez, deviendront une seconde nature. Par exemple, une fois bien saisie toute l'importance du contact visuel, vous n'aurez plus à y penser.

Vous l'établirez automatiquement.

Ce livre se présente en leçons-minute. Comme chaque idée est exposée sur une page individuelle, vous pouvez commencer par la fin ou le milieu, ou lire seulement les passages qui vous intéressent. Les idées exposées constituent votre coffre à outils, et les plus importantes sont condensées en « règles d'or ».

Que ce livre puisse vous guider dans votre carrière. Conservez-le avec vous. Offrez-le à vos proches. Consultez-le lorsque survient une situation nouvelle. Exercez vos nouveaux talents, de manière à vous montrer toujours sous votre meilleur jour. Voilà comment vous atteindrez vos objectifs personnels et professionnels.

—Lynda Goldman

Table des matières

Partie 1

Quelle est votre image?

Ce qui compte aujourd'hui,
c'est l'apparence :
quand tu ne parais pas, tu disparais.
—Smain, humoriste français

1. Les outils et préparatifs indispensables

Les situations nouvelles vous angoissent-elles? Vous a-t-on déjà promu à un poste qui exigeait plus d'aptitudes pour les relations interpersonnelles que vous n'en aviez? Vos qualités ressortent-elles pendant les entrevues d'emploi?

Il arrive à tout le monde de se sentir mal à l'aise dans une nouvelle situation. Prenons le cas de Lorraine, une jeune femme de 26 ans qui a travaillé plusieurs années dans la vente avant que son employeur ne plie bagage. On lui a parlé d'une ouverture dans une maison d'édition. Lectrice insatiable, Lorraine croyait avoir trouvé l'emploi rêvé. Mais en apprenant que le président de la division allait personnellement l'interviewer, elle s'est trouvée au bord de la crise de nerfs.

Remise de ses émotions, Lorraine nous a demandé conseil. On l'a aidée à choisir ses vêtements et ses accessoires. De son côté, elle s'est exercée à donner une solide poignée de main et à prendre une attitude de circonstance, puis elle s'est renseignée sur l'entreprise. Et elle a obtenu le poste. Elle nous a dits plus tard combien la préparation l'avait aidée. En se composant une image professionnelle, Lorraine a pris de l'assurance, à tel point qu'elle a décroché l'emploi convoité. Avec les mêmes outils, vous atteindrez, vous aussi, vos objectifs.

2. Le pouvoir d'évocation des mots

Voici Catherine Boileau – vive d'esprit, prudente et bourreau de travail. Voilà Jean Leblanc – décontracté, sympathique, Monsieur je-sais-tout. Quelles images vous viennent à l'esprit en entendant ces deux descriptions? Qui, de Catherine ou de Jean, réussira mieux dans les affaires? Avec qui aimeriez-vous travailler?

Qu'avez-vous répondu? Quelques mots suffisent pour qu'on se fasse une idée. Pourquoi? Parce que nos jugements reposent sur l'image. Personnes, produits, lieux, entreprises, tout évoque une image. Comment voyez-vous New York? Et Tahiti? Pourquoi associe-t-on le baseball aux hot dogs et les escargots à la cuisine française? À vrai dire, pourquoi voudrait-on manger des escargots si ce n'est pour se donner une certaine image?

On a tous une image, qu'on le veuille ou non. Avez-vous pensé à la vôtre? Vous devriez, sinon vous risquez d'offrir l'image de l'insouciance. Or, n'aurait-on pas avantage à se choisir une image, puis à la soigner de manière à rendre manifestes les qualités qu'on possède vraiment?

3. Juger sur la mine

Vous avez dix secondes seulement pour produire une impression durable, le saviez-vous? Albert Mehrabian, professeur de psychologie à la UCLA, a mené des expériences sur la perception. Selon ses résultats, la première impression s'appuie sur trois facteurs :

- la vue, à 55 p. 100
- la voix, à 38 p. 100
- les paroles, à 7 p. 100

De toute évidence, c'est l'image qui l'emporte. Un coup d'œil suffit!

« Quelle injustice! Les gens devraient apprendre à me connaître avant de me juger! » En effet, c'est injuste, mais que voulez-vous. Dans le monde des affaires, les gens ont d'autres chats à fouetter que de découvrir votre *vraie* nature. Ils jugent vite, et changent rarement d'idée. Le produit est peut-être plus important que l'emballage, mais si personne ne remarque d'abord l'emballage, on ne saura jamais ce qu'il recèle. Les spécialistes de l'emballage vous le diront : nous sommes visuels, à tel point que la conception de l'emballage précède souvent celle du produit!

Règle d'or 1 Votre apparence, c'est un peu comme votre CV visuel.

4. Soigner son image

L'image repose essentiellement sur cinq éléments : la tenue vestimentaire, l'attitude, l'expression faciale, le maintien et les gestes. Ce sont les « messages » que nous émettons.

On peut avoir réponse à tout au cours d'une entrevue d'emploi ou briller dans un 5 à 7, mais un air renfrogné ou une tenue vestimentaire déplacée pour l'occasion peuvent contredire les plus belles paroles.

Une image vaut mille mots, ne l'oublions pas. Revêtu de votre plus beau costume, portez la tête haute et parlez avec enthousiasme. Vous dégagerez un parfum de réussite. À compétence égale, vous réussirez probablement mieux si vous avez de la présence.

Selon les sondages, les gens d'apparence professionnelle qui possèdent de bonnes aptitudes à la communication ont plus de chance d'obtenir l'emploi souhaité. Ils sont promus plus rapidement et à des salaires plus élevés. Alors, pourquoi ne pas mettre l'image à votre service?

5. Comprendre son rôle professionnel

On évolue parfois dans le monde des affaires comme sur la scène d'un théâtre. Certains ont pour rôle de travailler avec le public et d'autres de recruter des clients pour leur entreprise. Puis il y a ceux, comme vous peut-être, qui doivent se préparer à une entrevue d'emploi ou de promotion. L'important, c'est de comprendre son rôle et, de là, décider comment agir et se présenter.

Quelques minutes après un premier contact, on s'est déjà fait une foule d'idées sur notre vis-à-vis : âge, éducation, situation financière, état civil, métier, droiture, capacités, etc.

Qui êtes-vous? Quel est votre rôle professionnel? Pensez-y. Catherine, candidate à un poste dans une firme de courtage, doit avoir l'air digne de confiance. Elle choisira, de préférence, une tenue vestimentaire et des accessoires classiques. Jean, lui, travaille dans une agence de publicité. Il risque d'être mal perçu dans un costard trois pièces. Pour avoir l'air d'un créatif, il doit plutôt opter pour des vêtements à la mode. Robert travaille dans une boîte de haute technologie et peut se contenter de porter chaque jour des vêtements décontractés.

Quel est votre rôle? Quelles qualités voulez-vous incarner?

Partie 2

Que voit-on en vous?

Que les apparences soient belles,

car on ne juge que par elles.

—Roger Bussy-Rabutin, général français

6. Les expressions de la physionomie

Avez-vous déjà mal interprété un signal? Constatant l'air perplexe d'un ami, vous avez pu lui demander « Qu'est-ce qui ne va pas? » Et vous faire répondre : « Rien. Je pensais à un truc, c'est tout! »

On n'est pas toujours conscient de ses expressions faciales. On pense avoir l'air concentré, mais les autres nous trouvent un air maussade. En fronçant les sourcils, on peut avoir l'air anxieux ou fâché, même si l'on tient des propos agréables. Dans les affaires, beaucoup de gens s'efforcent d'afficher un visage inexpressif pour ne rien révéler de leurs intentions. Si cette stratégie est utile à la table des négociations, elle ne l'est pas partout.

Les expériences d'Albert Mehrabian, professeur de psychologie à la UCLA, montrent que l'expression faciale a plus de poids que la voix ou les paroles. Si vous ignorez l'effet produit par votre physionomie, observez-vous dans le miroir ou demandez à un ami.

Règle d'or 2 De toutes les choses que l'on porte, l'expression faciale est la plus importante.

7. Le sourire aussi est le propre de l'homme

À défaut d'être une beauté naturelle, on peut toujours se montrer sous un jour meilleur en souriant. Mais attention, sourire ne va pas toujours de soi. Étant donné qu'on reproduit souvent les habitudes adoptées dans l'enfance, certains hommes auraient intérêt à sourire davantage et certaines femmes, un peu moins.

Toutefois, un faux sourire, esquissé sur les lèvres seulement, a tendance à enlaidir, alors qu'un sourire généreux et spontané illumine tout le visage. De grâce, évitez de sourire en recevant ou en donnant de mauvaises nouvelles. Adoptez toujours une expression de circonstance.

Adresser un sourire spontané à quelqu'un, c'est lui manifester de l'intérêt et de l'amitié. Ce sourire exprime de la chaleur et de l'ouverture. Il inspire confiance et attire une attention favorable. Il met les autres à l'aise et rafraîchit instantanément la conversation. Riez avec les yeux, c'est beaucoup mieux.

8. Les yeux dans les yeux

Regarder son interlocuteur dans les yeux est la meilleure façon de lui montrer qu'on l'écoute. En fait, dans les cultures occidentales, on croit généralement que notre interlocuteur ne nous écoute pas s'il ne nous regarde pas. Les gens qui nous regardent dans les yeux sont, croit-on, dignes de confiance. C'est malheureux pour les timides qui, en se dérobant aux regards des autres, ont parfois l'air louche. Cependant, il ne faut pas dévisager son interlocuteur.

Voici quelques conseils pour établir le contact visuel :

- Promenez votre regard sur le visage de votre interlocuteur, plutôt que de le regarder directement dans les yeux.
- Regardez ses lèvres bouger lorsqu'il parle. Ça vous aidera à « entendre » ce qu'il dit.
- Pour rompre un contact visuel trop soutenu, prenez des notes de temps à autre ou regardez par-dessus l'épaule de votre interlocuteur.

9. Une certaine attitude

Avez-vous remarqué comment les politiciens entrent dans une pièce? La tête haute, ils avancent vers l'estrade d'un pas assuré et surveillent leurs gestes. Ils savent pertinemment que leurs mouvements jouent un rôle important dans leur image.

Le corps envoie des messages avant même qu'on ouvre la bouche. Thomas, technicien en informatique dans la jeune trentaine, est en recherche d'emploi. Il a assisté à un cocktail organisé par des sociétés de haute technologie. Il est entré dans la pièce, les yeux rivés sur le tapis, et a évité tout contact visuel. Il espérait qu'on vienne lui faire la conversation. Mais on pouvait lire l'anxiété et le malaise dans son attitude et, bien sûr, tout le monde s'est abstenu.

Brigitte, analyste de système également dans la trentaine, participait au même événement. Elle a fait une pause dans l'entrée, puis s'est engagée dans la pièce d'un pas déterminé. Elle disait par sa démarche : « Me voici. Je sais ce que j'ai à faire. » Elle a établi de précieux contacts ce jour-là.

En entrant dans une pièce, arrêtez-vous le temps de vous situer puis, avec enthousiasme et confiance, allez droit au but. Avec un signe de tête posé, un sourire et une expression faciale détendue, vous aurez l'air sûr de vous, quelle que soit la situation.

10. À la conquête du monde

Denise mesure près d'un mètre quatre-vingts. Elle reste debout même quand les autres s'assoient. « J'ai passé mon adolescence les épaules courbées pour cacher ma taille, dit-elle. Maintenant, je me tiens debout, bien droite. J'ai l'air sûre de moi, même si ce n'est pas toujours comme ça que je me sens.

« Tiens-toi le dos droit », s'est-on fait dire *ad nauseam*. Une position avachie dénote de la fatigue ou du laisser-aller. Les gens qui marchent la tête penchée paraissent timides, introvertis ou abattus. Les criminels savent bien que les passants à la démarche lente ou hésitante sont des proies faciles. En vous tenant bien droit, vous vous sentirez non seulement mieux, mais vous serez aussi plus sûr de vous.

Notre culture s'attend à ce que les gens d'affaires soient des gens équilibrés, animés d'une pensée rationnelle. Avec une bonne posture, il est plus facile d'établir et de maintenir le contact visuel.

Tenez-vous les pieds parallèles, à largeur d'épaules. Évitez de transférer votre poids d'un pied à l'autre. Ne croisez pas les chevilles, vous risqueriez de perdre l'équilibre. Solidement campé sur vos deux jambes, abordez le monde de front.

11. Les petites manies agaçantes

Dans une réunion de service, Julie bâille et jette un coup d'œil à sa montre. Michel tripote ses clés et tape du pied. Ils ignorent l'effet de leurs manies, mais les autres en sont conscients.

Il arrive à tout le monde d'être distrait et de bâiller d'ennui ou de fatigue, mais il faut savoir se tenir. On a tous nos tics, que ce soit se ronger les ongles, se jouer dans les cheveux, se gratter ici et là, tambouriner sur la table, etc.

Il est peu professionnel de mâcher de la gomme, de fumer ou de manger des bonbons pendant une réunion. Pour paraître calme et décontracté, il faut se surveiller un peu.

Julie et Michel signalent par leurs gestes que la réunion les fatigue ou les ennuie. Examinez vos manies et pensez aux messages qu'elles envoient. Vous aurez l'air plus posé et professionnel si vous éliminez les habitudes qui dérangent les autres. Demandez à un ami de vous aider à reconnaître vos tics.

Règle d'or 3 Vos gestes en disent plus long que vos paroles.

Partie 3

Inspirer la sympathie

On examine avec soin les objets
dans les boutiques,
mais quand il s'agit des gens,
on les juge sur les apparences.
—Aristippe de Cyrène

12. Une poignée de main qui donne le ton

Diane et Nicolas, deux collègues, ont une réunion avec un directeur. Lorsque ce dernier arrive, Nicolas se lève et lui serre la main. Diane reste assise. Au cours de la réunion, le directeur demande l'opinion de Nicolas davantage que celle de Diane. Celle-ci essaie de glisser quelques idées, mais le directeur, semble-t-il, l'écoute d'une oreille distraite.

Pour produire une forte impression, prenez l'initiative de la poignée de main. Les affaires sont une question de pouvoir. La personne qui prend l'initiative a l'avantage, et c'est vrai pour les femmes autant que pour les hommes. La poignée de main se prête aux circonstances suivantes :

- Lorsqu'on vous présente quelqu'un.
- Lorsqu'on prend congé de quelqu'un.
- Au début et à la fin d'une réunion.
- Dans des rencontres professionnelles.

Certaines personnes sont mal à l'aise à l'idée d'échanger une poignée de main, parfois pour des raisons culturelles. Dans ce cas, adressez à la personne un sourire en hochant la tête.

Règle d'or 4 Tendez la main aux gens, hommes et femmes, avec qui vous faites affaire.

13. Mettez-y du cœur

Avez-vous déjà serré la main à une de ces personnes qui vous l'écrabouille, littéralement? Ou à une autre qui vous effleure à peine les doigts d'une main ô combien molle? Il y a toutes sortes de poignées de main, et si certaines sont mémorables, c'est habituellement pour les mauvaises raisons.

Rien de plus facile qu'une poignée de main énergique. En présentant une main ferme, vous ferez preuve d'assurance et d'autorité. Voici comment procéder :

1. Tendez la main, paume à la verticale.

2. Empoignez fermement la main de l'autre. Vous devriez sentir, chez l'autre personne, le creux entre le pouce et les autres doigts.

3. Serrez fermement un ou deux coups, puis relâchez la main. N'éternisez pas le contact.

La poignée de main inspire confiance et témoigne du respect. En affaires, il s'agit du premier et du seul contact physique. Ce geste donne le ton à la première impression. N'oubliez pas, il ne peut y avoir de deuxième première impression!

14. Un accueil chaleureux

Avez-vous déjà rencontré une personne qui vous a plu ou déplu sur-le-champ? Bien sûr que oui. Ces impressions se forment en un instant, et sont l'affaire de petits détails.

Dans une réunion, Richard se dirige vers Thomas, assis à une table. Il se présente, la main tendue : « Bonjour. Je m'appelle Richard Laplante. Heureux de faire votre connaissance. » Thomas se contente de répondre : « Ouais, moi aussi », sans se lever, et Richard doit se pencher pour lui serrer la main. Ça promet!

Richard va ensuite vers Joël, assis à une autre table. Pendant qu'il se présente, Joël se lève, sourit et regarde Richard dans les yeux en lui disant : « Ravi de faire votre connaissance. » Voilà qui est mieux.

Lorsqu'on vous présente quelqu'un, approchez-vous de la personne, souriez, établissez le contact visuel et dites quelques paroles aimables. Si vous êtes assis, levez-vous. Présentez-vous avec une formule du genre : « Je suis enchanté de faire votre connaissance ». En règle générale, l'autre personne répondra tout aussi poliment quelque chose comme : « Le plaisir est pour moi. »

15. Une entrée en matière originale

Supposez qu'on vous présente quelqu'un. Vous vous nommez à tour de rôle, échangez une poignée de main en disant, par exemple : « Heureux de faire votre connaissance. » Et après, que faites-vous? Gênés, vous cherchez tous les deux quelque chose à dire.

Pourquoi ne pas se préparer d'avance un scénario brise-glace? Répétez-le devant le miroir jusqu'à ce que vous vous sentiez à l'aise. L'idée, c'est de fournir des renseignements qui permettront à l'autre de poursuivre la conversation. Voici des exemples :

« Bonjour. Je m'appelle Carole Joly. Je suis comptable pour la société ABC. J'aide les gens à gérer leur budget et à amasser un petit pécule. »

« Bonjour. Je m'appelle Robert Martin. Mon employeur, la société XYZ, est un fabricant de logiciels pour les PME.

Ils peuvent maintenant se poser des questions sur leurs occupations respectives. Donc, présentez-vous dans l'optique de favoriser la conversation.

16. La règle des présentations

Pendant un 5 à 7, vous bavardez avec une collègue et voyez un client s'approcher. Qui nommez-vous en premier dans les présentations? Que faites-vous si votre supérieur se joint à vous?

La règle à suivre est simple : le rang passe avant le sexe. Nommez d'abord la personne qui occupe le poste le plus important ou le plus élevé dans la hiérarchie. « Simon Labranche, voici Jeanne Leblanc, ma collègue. » Les clients n'appartiennent pas à la hiérarchie de votre entreprise, certes, mais leur importance est capitale. Dans le cas de votre supérieur, vous pouvez dire : « M. Servin, j'aimerais vous présenter Jeanne Leblanc. »

Si vous ignorez l'échelon des gens à présenter, rabattez-vous sur la tradition. Nommez la personne la plus âgée ou la femme en premier. « Simon Quarantaine, voici Benoît Trentaine », ou encore, « Jeanne, je te présente Simon. »

Pendant les présentations, regardez la personne en la nommant : d'abord celle qui a le plus d'autorité, puis l'autre.

Règle d'or 5

Dans les présentations, nommez la personne la plus importante d'abord. N'oubliez pas, le client est toujours la personne la plus importante dans une relation d'affaires.

Partie 4

Pour sortir de l'anonymat

Une erreur ne devient
véritablement une faute
que lorsqu'on refuse
de la corriger.
—John F. Kennedy

17. Le mot le plus important à retenir

Tous les matins, les gens font la file au café de Geneviève. Ils attendent patiemment leur tour avant de se rendre au bureau. Le café est bon, mais pas meilleur qu'à la porte voisine. Alors, pourquoi font-ils la queue? Eh bien, parce que Geneviève accueille chaque client par son nom. Elle sait habituellement qui prend deux crèmes ou trois sucres, qui commande toujours un cappuccino, etc. Elle traite chaque personne aux petits oignons.

En règle générale, on apprécie la personne qui se donne la peine d'apprendre et de se rappeler notre nom car, grâce à elle, on se sent valorisé.

Au moment des présentations, accordez toute votre attention à la personne en face de vous, et répétez son nom. « Ravi de faire votre connaissance, Madame Laliberté. » Utilisez son patronyme jusqu'à ce qu'elle vous invite à l'appeler par son prénom. Ne prenez pas l'initiative.

Règle d'or 6 Pour montrer aux gens que vous les appréciez, désignez-les par leur nom.

18. La mémoire des noms

En règle générale, il suffit de quelques secondes pour oublier le nom de la personne dont on vient juste de faire la connaissance. Vu la nervosité qu'on éprouve au moment des présentations, on se centre sur soi, sur l'impression qu'on produit.

Or, le truc, c'est de se concentrer sur l'autre. Répétez le nom dès que vous l'entendez, visualisez-le dans sa forme écrite. Nommez la personne à la première occasion : « Je suis enchanté de faire votre connaissance, Mme Laliberté. » Si vous répétez le nom trois fois au cours de la conversation, vous vous en souviendrez probablement.

Pour aider l'autre personne à se souvenir du vôtre, nommez-vous lentement et clairement. On a malheureusement tendance à se nommer à toute vitesse. De préférence, on fera une pause après avoir donné son prénom, par exemple : « Bonjour, je m'appelle Maude (pause) Turcotte. » Souriez lorsque vous vous présentez; ayez l'air réjoui de faire la connaissance de l'autre.

Si vous avez un nom difficile à retenir ou à comprendre, venez en aide à votre interlocuteur. Épelez-le ou écrivez-le. Souriez et dites : « Ne vous en faites pas, j'ai l'habitude. »

19. S'épargner des embarras

David présente sa collègue Patricia à un client. « Jacques, dit-il, voici Pat. Nous travaillons ensemble à la comptabilité. » Patricia se demande qui est cette Pat. Elle ne connaît personne répondant à ce nom.

Il est assez irritant de se faire appeler par un nom autre que le sien. Si votre collègue s'appelle Patricia, ne la surnommez pas Pat. Si vous entendez quelqu'un l'appeler ainsi, demandez-lui ce qu'elle préfère. Tout le monde veut se faire appeler par son nom, prononcé correctement.

De même, assurez-vous d'utiliser le bon titre professionnel. Si la personne est une vice-présidente principale, n'oubliez pas de mentionner « principale » lorsque vous la présenterez. Et une adjointe administrative n'apprécie guère qu'on la qualifie de secrétaire. On est tous sensible à la façon dont on nous désigne. Et des impairs à cet égard produisent une fort mauvaise impression.

20. À la rescousse des trous de mémoire

Vous échangez quelques mots avec une personne que vous n'avez pas vue depuis un bout de temps. « Salut Jacques, comment vas-tu? » Pauvre Jacques vous dévisage, l'air gêné. Il a oublié votre nom.

Si ça vous arrive, ne laissez pas votre interlocuteur dans l'embarras. Tendez la main en disant, par exemple : « Bonjour, Julie Lapierre. On s'est rencontré il y a quelques mois. » Ne vous attendez pas à ce qu'on se souvienne de votre nom. Surtout, gardez-vous de demander à l'autre s'il se rappelle de vous. Ça manque de classe.

Si vous avez oublié le nom de l'autre, n'en faites pas tout un plat. Ça arrive à tout le monde. Dites simplement : « Je suis désolé, mais votre nom m'échappe. Pouvez-vous me le rappeler. » Si vous vous souvenez des circonstances dans lesquelles vous avez fait connaissance, mentionnez-le : « On s'est rencontré au salon de la haute technologie, en avril, mais j'ai oublié votre nom depuis. »

Partie 5

L'a b c des affaires

Vous n'aurez jamais une
deuxième chance de faire
une bonne première impression.
—David Swanson

21. Des formules éprouvées

Catherine attend qu'on la reçoive pour une entrevue de recrutement lorsque l'intervieweur l'accueille, elle tend la main en lui disant : « Merci de prendre le temps de me recevoir, M. Lévesque. » Elle produit sur ce dernier une excellente impression, et l'entrevue démarre du bon pied.

Il est facile d'engager la conversation avec un compliment ou quelques mots de remerciement. Et le procédé est efficace. Lorsque vous rencontrez quelqu'un pour la première fois, remerciez cette personne de son accueil, en mentionnant son nom si possible. Par exemple :

- « Enchanté de faire votre connaissance, Mme Grégoire. »
- « Merci d'avoir proposé une rencontre aujourd'hui, M. Simon. »
- « Quel plaisir de vous revoir, Alice. »

Si la personne est dans son bureau, n'hésitez pas à faire des commentaires du genre : « Vous avez une vue superbe sur la ville, Julie », ou encore, « Quelle chance vous avez. En plein centre-ville! »

Toutefois, gardez vos opinions personnelles pour vous et évitez de parler de l'apparence, du comportement ou des collègues de la personne.

22. L'espace vital

Thomas et François poursuivent leur discussion après la réunion. Thomas se rapproche petit à petit de François, mais celui-ci recule d'autant. Ils vont bientôt buter contre le mur. Ça vous rappelle quelque chose?

On a tous besoin de laisser une certaine distance entre soi-même et les autres. Les Nord-Américains se tiennent à distance d'un bras environ. Mais ça varie beaucoup selon les cultures.

La façon dont on occupe l'espace révèle souvent ce qu'on ressent. On recule si on se sent mal à l'aise ou repoussé par quelque chose. De même, on peut paraître froid si l'on se tient trop loin de l'autre personne, ou se sentir envahi si l'autre pénètre dans notre espace vital.

Pour paraître professionnel, laissez une distance convenable entre vous et votre interlocuteur. Si vous remarquez qu'il recule, résistez à la tentation de vous rapprocher. Vous empiétez peut-être sur son espace vital.

23. Activités professionnelles et sociales, deux réalités bien différentes

Marie, analyste de son métier, se dirige vers la sortie avec Robert, son patron. Qui ouvre la porte? Est-ce Robert, parce que c'est un homme, ou est-ce Marie, parce qu'elle est la subalterne?

Dans une situation sociale, on sait que l'homme, en règle générale, ouvre la porte à la femme. Mais dans le monde professionnel d'aujourd'hui, on s'attend à ce que les hommes et les femmes adoptent des comportements semblables.

En cas de doute, usez de bon sens. La personne qui arrive à la porte en premier l'ouvre, tout simplement. Parfois, l'homme se rappellera les bonnes manières, et tiendra la porte ouverte pour la femme.

Quoiqu'il arrive, agissez avec courtoisie. Un homme ou une femme peut aider quelqu'un à enfiler son manteau ou ouvrir une porte à la personne qui a les mains pleines. Enfin, la personne qui se trouve le plus près du tourniquet ou des portes de l'ascenseur entre ou sort en premier.

Règle d'or 7 Dans le monde des affaires, les règles sont les mêmes pour les hommes et les femmes.

24. Des manières impeccables, jusque dans l'ascenseur

Le goujat d'ascenseur, vous connaissez? C'est le type qui appuie mille fois sur le bouton en attendant l'ascenseur, qui s'y rue une fois les portes ouvertes et qui en bloque l'entrée. Il se place ensuite devant les boutons, empêchant les autres de les atteindre. En route, il ne remue pas d'un pouce pour laisser les autres entrer et sortir.

L'ascenseur est peut-être un endroit anonyme, mais qui sait si votre prochain employeur, client ou collègue n'est pas à côté de vous? Il s'agit d'un espace public étroit, et on se souvient des rencontres qu'on y fait.

Peu importe la durée du trajet, celui-ci sera plus agréable si vous respectez quelques règles d'élémentaire bienséance. Il suffit d'être conscient de ce qui se passe. Cédez le passage à ceux qui entrent et sortent. Si vous êtes près du tableau dans un ascenseur bondé, offrez aux gens de pousser les boutons. Dites « pardon » et « merci » lorsque les autres s'écartent pour vous laisser passer. C'est la moindre des choses, et vous ne savez jamais qui se trouve dans l'ascenseur.

Partie 6

L'indispensable bout de carton

Si tu peux faire quelque chose de bien,
la moindre des choses
c'est que ça ait l'air bien.
—Bill Gates, fondateur de Microsoft

25. La petite carte qui en dit long

Vous venez de rencontrer des gens intéressants à l'occasion d'une conférence, et vous aimeriez savoir comment les joindre. Bien sûr, vous pourriez noter leurs coordonnées sur un bout de papier ou sur une serviette de table. Mais n'est-il pas plus simple d'échanger vos cartes professionnelles?

Pensez aux avantages de la carte professionnelle. Elle donne votre nom, le nom de votre entreprise et le titre de votre poste. Elle fournit vos coordonnées : l'adresse du bureau et du courriel, et les numéros de téléphone et de télécopieur.

Si vous êtes en affaires, ce petit bout de carton est indispensable. L'information qui y figure doit être exacte et facile à lire, avec votre nom bien en évidence. Ayez-en toujours quelques-unes à portée de la main. Évitez de remettre des cartes déchirées ou cornées.

Cependant, à trop vouloir mettre d'information sur la carte, on risque de la rendre illisible. Faites preuve d'indulgence envers les quadragénaires qui lisent péniblement sans lunettes. Au besoin, utilisez le verso de la carte ou optez pour une carte-chevalet.

26. Une image annoncée

Quelle image votre carte fait-elle surgir? Celle d'une personne sophistiquée? créative? sérieuse? Donne-t-elle l'impression que vous êtes unique en votre genre ou un parmi tant d'autres?

Songez à votre carte professionnelle comme à un condensé de votre image. Comment voulez-vous être perçu? Votre carte doit montrer la personne que vous êtes et le métier que vous exercez. Par exemple, le papier marbré, symbole de solidité, est populaire auprès des avocats et des planificateurs financiers. Les couleurs voyantes, elles, sont plutôt réservées aux créatifs.

Bien sûr, votre carte professionnelle, en tant que carte de visite, fournit vos coordonnées. Mais elle contribue surtout à l'impression que vous voulez produire. Un logo ou un dessin peuvent rehausser votre image. Offrez aux gens une carte qu'ils voudront conserver.

Règle d'or 8 Votre carte d'affaires représente votre image professionnelle. Assurez-vous qu'on la garde précieusement.

27. Échanger les cartes avec doigté

Pendant un cocktail, Jean s'approche d'un groupe, se présente et distribue sa carte à la ronde, comme s'il s'agissait de bonbons. Les gens l'empochent distraitement, pensant : « Pas de classe, ce type! »

Votre carte professionnelle est importante. Contentez-vous de la donner à ceux qui la demandent, sinon elle finira au panier. Surtout, évitez de la distribuer à tous les membres d'un groupe, car on vous prendra pour un vendeur d'aspirateurs.

Ne mettez pas votre carte sous le nez des gens, surtout s'ils sont plus haut placés que vous. Attendez qu'on vous la demande. De votre côté, pour obtenir la carte de quelqu'un, plutôt que de la lui demander directement, dites : « Comment puis-je vous joindre? » Si vous tenez absolument à remettre votre carte à quelqu'un, dites-lui quelque chose du genre : « Puis-je vous donner ma carte? », au lieu de « Voici ma carte. »

Lorsqu'on vous donne une carte professionnelle, ne la faites pas disparaître aussitôt dans vos poches. Jetez-y un coup d'œil. Félicitez la personne pour l'originalité de son logo, lisez son nom à voix haute ou faites un commentaire sur l'emplacement de son bureau. Les gens aiment bien qu'on leur témoigne de l'intérêt.

Partie 7

Poser la première pierre

Une bonne tenue et un bon langage
apportent toujours
de bons dividendes.
—Guy-Marc Fournier

28. Savoir bien s'exprimer... t'sais veux dire!

On rapporte qu'un jeune candidat a dit en entrevue de recrutement : « Vous êtes... euh, comme qui dirait, le directeur du marketing. » Et le directeur de répondre : « Je ne suis pas 'comme qui dirait' le directeur du marketing. Je suis le directeur du marketing, point! »

Parlez-vous comme un adolescent qui flâne au centre commercial? Émaillez-vous votre discours d'interjections? Utilisez-vous un jargon déplacé dans un contexte professionnel? Vos phrases commencent-elles par « Aie! »? Dites-vous « ouais » au lieu de « oui »?

Pour changer votre façon de vous exprimer, concentrez-vous sur ce que vous dites. Un langage relâché nuit à votre crédibilité, peu importe que vous ayez trois doctorats et que vous soyez tiré à quatre épingles. Au besoin, travaillez avec un ami, et corrigez-vous l'un l'autre.

29. L'esprit d'organisation

Josée se précipite dans une réunion avec une cliente. Elle est à bout de souffle et toute décoiffée. Elle avait mal classé le dossier et a dû fouiller partout à la dernière minute. Elle a failli arriver en retard à son rendez-vous. Quelle impression a-t-elle donné à sa cliente, d'après vous? « Cette femme me paraît désorganisée. Je me demande si elle convient à mon projet? »

Avant un rendez-vous d'affaires, une entrevue d'emploi, un cocktail, etc., prenez quelques minutes pour vous préparer. Organisez vos papiers et rangez votre curriculum vitae dans un endroit accessible. Glissez quelques cartes d'affaires dans la poche de votre veste. Gardez un stylo et un bloc de papier à portée de la main. En sachant où tout se trouve, vous ne perdrez pas de temps, et ça vous évitera de farfouiller dans une situation stressante.

Organisez votre pensée de la même façon. Réfléchissez au but de votre rencontre et à l'issue souhaitée. Voulez-vous fixer une rencontre de suivi, établir une nouvelle relation d'affaires ou entrer en contact avec une personne en particulier?

Concentrez-vous sur votre but. Préparez-vous d'avance, physiquement et mentalement. Vous aurez l'air plus sûr de vous et plus calme – vous le serez aussi –, et vous accomplirez davantage.

30. Savoir choisir son moment

Michel en fait toujours trop. Son entrevue de recrutement est à 10 h. Il ne veut surtout pas arriver en retard, alors il part tôt et arrive dès 9 h 35. Pendant qu'il attend à la réception, la directrice responsable de l'entrevue le regarde de son bureau, situé de l'autre côté du couloir. Michel la voit regarder sa montre, l'air contrarié.

Tout le monde sait qu'il est impoli d'arriver en retard à un rendez-vous. Les retardataires semblent oublier que le temps des autres est aussi précieux que le leur. Mais arriver trop tôt n'est guère mieux.

En affaires, les gens sont souvent pressés. Échéances à respecter, appels à retourner, réunions interminables, etc. En présence d'un candidat qui arrive trop tôt à son rendez-vous, l'intervieweur peut se sentir obligé de le recevoir sur-le-champ. Idéalement, on doit arriver cinq ou dix minutes avant l'heure prévue.

Savoir quand tirer sa révérence est aussi important. Au moment de prendre rendez-vous, vous pouvez demander combien de temps durera l'entrevue. Lorsque l'intervieweur regarde sa montre, vous remercie de votre temps ou commence à se lever, mettez fin à la rencontre avec tact et quittez la pièce.

31. Quelques bévues à éviter

Paul a rendez-vous avec M. Carignan au sujet d'un important contrat. Pendant qu'il attend à la réception, il commence à lire un roman policier. Dix minutes plus tard, une paire de chaussures entre dans son champ de vision, et Paul constate que M. Carignan se tient debout devant lui. Complètement absorbé par son roman, Paul ne l'a pas vu venir.

Il le suit dans son bureau et se laisse tomber dans le premier fauteuil. M. Carignan fronce les sourcils. Paul dépose son porte-documents sur le bureau, et commence à étaler ses papiers.

Hélas, Paul a appris à ses dépens qu'il aurait fallu attendre qu'on lui dise où s'asseoir et qu'on ne doit pas envahir l'espace de quelqu'un. De même, il a bien vu dans le regard désapprobateur de M. Carignan qu'il n'aurait pas dû se servir dans le plat de bonbons ni fumer sans demander la permission. La rencontre ne pouvait être pire. Meilleure chance la prochaine fois.

32. Les récompenses d'une bonne préparation

Andréa a une entrevue de recrutement jeudi. Au début de la semaine, elle appelle l'entreprise pour demander le nom de la réceptionniste et le code vestimentaire du bureau. Elle demande où garer sa voiture. Elle arrive à 9 h 55, calme et sûre d'elle.

Andréa salue la réceptionniste par son nom, puis se présente : « Bonjour Mme Santini. Je m'appelle Andréa Sylvestre. J'ai rendez-vous avec Mme Johnson à 10 h. Elle remet sa carte à la réceptionniste.

Pendant qu'elle attend, Andréa feuillette les documents de l'entreprise qui se trouvent sur la table. À l'arrivée de Mme Johnson, elle se lève et se présente, la main tendue.

Pendant la rencontre, Andréa se tient bien droite dans son fauteuil et garde le contact visuel avec Mme Johnson. Elle a prévu les questions qu'on lui poserait, et a bien préparé ses réponses. Après l'entrevue, Andréa adresse un mot de remerciement à Mme Johnson. Une semaine plus tard, Andréa se fait offrir le poste. Sa préparation l'a bien servie.

Partie 8

Votre image vaut mille mots

Être élégant ne veut pas dire s'afficher,

mais laisser un souvenir de soi.

—Marisa Minicucci, styliste

33. Savoir se mettre en valeur

Stéphanie, une jeune femme dans la trentaine directrice d'un service de marketing, est toujours bien mise. Ses vêtements, sobres mais jamais démodés, lui vont très bien. Brigitte, sa collègue du service des ventes, s'habille à la dernière mode, mais il y a toujours quelque chose qui cloche.

Stéphanie a découvert le secret : les vêtements sont censés avantager la personne qui les porte, et non attirer l'attention sur eux-mêmes. Le teint, la forme du visage, la silhouette varient d'une personne à l'autre, mais tous peuvent trouver des tenues qui les mettront en valeur. Des vêtements qui jurent avec notre teint ou qui ne conviennent pas à notre silhouette nous désavantageront.

Des vêtements bien coupés attirent le regard sur le visage, ce qui favorise le contact visuel. Des tenues mal choisies empêcheront les autres de se concentrer, car ceux-ci remarqueront vos accessoires plutôt que votre visage. Avec une tenue qui vous convient, les gens se souviendront de votre allure professionnelle, plutôt que des vêtements et accessoires individuels que vous portiez.

Choisissez des tissus, des couleurs et des styles qui mettent vos qualités en valeur, tout en atténuant de petites imperfections. Et ce qui vous va bien ne conviendra pas nécessairement à quelqu'un d'autre.

34. Une couleur pour chaque occasion

Pour la réunion, Brigitte a revêtu un pantalon et un chemisier orange vif, et Stéphanie a opté pour un tailleur anthracite et une blouse blanche. Selon vous, quelle tenue est mieux adaptée à la circonstance?

Les couleurs véhiculent un message. Un costume marine et un costume beige ne produisent pas la même impression. Les couleurs foncées renvoient une image de force, tandis que les couleurs comme le gris et l'écru donnent une allure sophistiquée. Les couleurs éclatantes, elles, font plus décontracté.

Le rouge attire l'attention. Portez-en si vous donnez une présentation, mais pas si vous voulez passer pour le coéquipier idéal. Les couleurs vives, comme le jaune, ne font pas très sérieux. Gardez-les pour les situations décontractées.

Dans les affaires, il vous faut du marine, du gris et du noir. Si ce n'est pas dans votre palette, portez un foulard ou une cravate qui vous rehaussera le teint.

Conseil : Des études indiquent que le candidat qui porte du marine pour une entrevue d'emploi augmente ses chances d'obtenir le poste. Il en existe de nombreuses teintes. Choisissez celle qui vous convient.

35. Le souci du détail

Marie est en réunion. Elle porte un élégant tailleur et des chaussures de qualité. Mais au moment de regarder l'heure, elle dévoile une vulgaire montre en plastique multicolore. Germain, vêtu d'un complet sur mesure, d'une chemise blanche et d'une cravate bien assortie, sort un Bic de sa poche pour signer un contrat.

Les petits détails complètent le tout. Dans le monde des affaires, tous vos accessoires font partie de votre image. Une montre sport ou des bijoux de fantaisie jurent avec une tenue professionnelle. Un stylo en plastique ou un porte-documents tout usé gâchent le portrait. Votre apparence forme un tout, ne l'oubliez pas.

Choisissez les meilleurs accessoires que vous pouvez vous permettre. Privilégiez l'or, l'argent et le cuir. Investissez dans une montre et un stylo de qualité. Vérifiez l'état de votre parapluie et de vos bagages. Les coutures commencent-elles à céder? Même si ce sont des articles fonctionnels, ils contribuent à votre image.

Règle d'or 9 Les petits détails de votre apparence, c'est la touche finale.

36. L'habit fait parfois le moine

Pour une entrevue dans une agence de publicité, Michel veut avoir l'air parfait : costume marine, chemise blanche et cravate classique. Sur place, il constate que les gens ont des tenues décontractées. Son erreur lui a-t-elle coûté le poste?

Une tenue neutre, ça n'existe pas. Ce qu'on porte est le résultat d'un choix. Nos vêtements expriment ce qu'on est et ce qu'on fait. Si les vêtements que vous portez pour une entrevue ne conviennent pas, on pourra se demander, à juste titre, si vous connaissez le milieu et vous y intégrerez.

Une tenue classique ne convient pas à toutes les circonstances. Demandez-vous comment on s'habille dans le métier. Avant de vous rendre chez un employeur potentiel, examinez les gens dans le hall de l'immeuble. Lorsqu'on vous convoquera à une entrevue, interrogez la personne sur le code vestimentaire ou adressez-vous au service des ressources humaines. Si, dans les premières minutes cruciales de l'entrevue, vous vous rendez compte que votre tenue détonne, dites-le : « Je pense avoir mal saisi le code vestimentaire. Je reçois des signaux contradictoires. J'ai l'air trop classique? » (trop décontracté?)

37. Une question de dosage

Gabrielle, avocate, veut présenter une image très professionnelle. Elle porte des tailleurs. Si, comme elle, vous évoluez dans un milieu traditionnel, vous choisirez des vêtements classiques. Dans les banques, l'assurance ou les valeurs mobilières, il faut un look traditionnel pour inspirer confiance.

Marc travaille avec le public. D'habitude, il porte un veston sport et un pantalon, mais s'il doit rendre visite à un client plus à cheval sur la tradition, il choisit un complet-cravate. Il s'adapte à ses clients.

Tanya travaille dans un bureau gouvernemental. Elle porte habituellement un veston et un pantalon bien agencés. Julie travaille pour un fournisseur de base de données et rencontre rarement les clients. Elle peut donc porter des vêtements décontractés, un col roulé avec un pantalon, par exemple.

Songez à la façon dont vous voulez être perçu. Observez comment vos supérieurs s'habillent. Pour obtenir une promotion, vous devez non seulement avoir l'air, mais aussi la chanson.

Règle d'or 10

Choisissez des vêtements qui conviennent au poste que vous voulez occuper, et non à celui que vous occupez déjà.

Partie 9

De la classe à petit budget

Cet habit me donne de l'esprit.

—Molière, *Dom Juan*

38. Une mise impeccable, à tout coup

Comment bien paraître en toutes occasions? Le secret tient en un mot : la qualité. Si vous achetez des vêtements de la meilleure qualité possible, compte tenu de votre budget, vous vous sentirez toujours bien en les portant.

Tout d'abord, regardez l'étiquette. Un costume 100 % laine tombera mieux et durera plus longtemps qu'un costume de polyester ou de fibres mélangées. Même chose pour les chemises et chemisiers : le coton et la soie ont plus de corps que l'acrylique. Les fibres de moins bonne qualité se froissent davantage et collent au corps. Elles tombent mal. Des vêtements de bonne qualité constituent un investissement, que vous ne regretterez nullement : vos vêtements auront la vie plus longue, exigeront moins d'entretien et paraîtront mieux.

Il vaut mieux investir dans un costume ou un veston classique de bonne qualité que dans plusieurs articles bon marché. Lorsque vous portez des vêtements faits de fibres de qualité, vous vous sentez mieux. Si vous vous sentez bien dans vos vêtements, cela se verra.

39. Une allure professionnelle

Faites un décompte rapide. Combien d'accessoires portez-vous? Comptez les lunettes, les boucles de ceinture et de chaussures, les foulards et chaque bijou individuel.

Pour bien paraître, la simplicité est de mise. Dans le monde des affaires, on se trompe rarement en portant des vêtements classiques de couleurs unies. Et cette règle s'applique aussi aux tenues décontractées.

Évitez l'étalage d'accessoires. En multipliant les bracelets ou les bagues, vous risquez d'en faire trop. Contentez-vous de deux ou trois bijoux. Pour une femme, une élégante paire de boucles d'oreille, avec un collier discret, une broche ou un bracelet de bon goût ont l'air plus professionnel que des boucles d'oreille pendantes ou des bracelets clinquants. Quant aux tatouages et aux anneaux dans le nez, pour les hommes comme les femmes, on les évitera en général, à moins que les personnes haut placées les affectionnent particulièrement.

40. Être de son temps

Jean porte de grosses lunettes et de longs favoris épais, style qu'il a adopté dans les années 1970. Or, plus personne ne porte de pareilles lunettes et encore moins de gros favoris. Hélène, elle, n'a pas changé de coiffure depuis le secondaire, qu'elle a terminé il y a une dizaine d'années.

N'oubliez pas d'évoluer avec les années, sans quoi on croira que vous êtes fermé à tout changement. Faute d'avoir adapté votre image, on pensera que vous n'avez pas vu les années passer, et vous aurez l'air démodé. Styles, coupes et couleurs varient au fil des ans, et des changements subtils suffisent souvent à rajeunir une allure démodée.

Adaptez votre coiffure et vos lunettes au goût du jour. Vous portez toujours ces accessoires, et c'est ce qu'on remarque en premier. Magasinez dans les boutiques qui servent les professionnels, et demandez conseil au personnel pour votre garde-robe. Si vous êtes difficile à habiller, adressez-vous à un conseiller. Vous y gagnerez au change : en sachant que vous projetez une image professionnelle, vous aurez l'air sûr de vous.

Règle d'or 11 Un look classique mais à la mode est toujours bien vu dans les milieux professionnels.

Partie 10

Des tenues qui font autorité

Les mots et les faits s'oublient;

ce sont les impressions qui restent.

—Anonyme

41. Une tenue pour le prestige

Voulez-vous donner une impression de pouvoir et d'influence? Voici comment vous y prendre :

1. Portez un costume uni, car il offre une image plus soignée qu'un veston coordonné avec une jupe ou un pantalon.

2. Choisissez des couleurs foncées, plutôt que des tons pastel. Le summum, c'est un costume marine, gris ou noir porté sur une chemise blanche ou écrue.

3. Optez pour des tissus soyeux et simples, de couleurs unies. Les tissus épais, les textures et les motifs font plus décontracté.

4. La simplicité est toujours de mise. Choisissez des chemises ou des cravates à motifs discrets. L'économie de détails et de couleurs donne une impression de puissance.

42. Une apparence chaleureuse

Si vous travaillez avec le public, votre apparence doit être professionnelle, sans être austère. Que porterez-vous? Pour créer une image agréable, transformez un ou deux détails de votre tenue. Voici quelques conseils. Suivez-les à tour de rôle et observez les résultats. Vous finirez bien par trouver l'allure qui vous sied.

1. Créez un contraste - Portez un costume foncé avec une chemise de couleur vive.

2. Essayez d'autres couleurs – Dans un costume gris perle ou beige, vous aurez l'air moins solennel que dans un costume bleu.

3. Faites des agencements – En optant pour un veston agencé avec un pantalon ou une jupe d'une autre couleur, vous aurez l'air moins sérieux.

4. Adoptez des textures ou des motifs – Un veston en tweed, par exemple, est moins classique qu'un veston uni. De même, une cravate ou un chemisier à motifs adoucit un costume foncé.

5. Mesdames, expérimentez – Pour une image plus décontractée, portez un pantalon au lieu d'une jupe, une robe plutôt qu'un tailleur et un chemisier sans col plutôt qu'un chemisier avec col.

43. Une tenue pour toutes les circonstances

Voici un tableau qui vous aidera à adapter votre tenue selon les besoins.

	Article	Couleur	Contraste	Texture/motif
TRÈS SOIGNÉ	Costume	Teintes foncées unies : noir, marine, anthracite	Marqué : costume foncé avec chemise blanche ou écrue	Tissu soyeux, simple
	Veston et pantalon/jupe coordonnés	Teintes claires : gris, écru, taupe, bleu	Moyen : Nuances d'une même teinte; Texture ou motif discret	Tweed, drap tissé Motif : carreaux, imprimés floraux, rayures
MOINS SOIGNÉ	Vêtements non coordonnés : Chemise Chemisier Polo Col roulé Pantalon/jupe	Tons pastel, couleurs vives	Articles non coordonnés	Tissus épais, brillants, lainages, etc.

44. Le look professionnel décontracté

Dans certains bureaux, la tenue décontractée est synonyme de confusion. On peut accueillir les « vendredis décontractés » avec joie ou travailler dans une entreprise où les tenues décontractées sont pratique courante, mais certains déchiffrent mal le code.

Trop souvent, la tenue décontractée conjugue le manque de goût au manque de professionnalisme.

À en juger par leurs vêtements, on pourrait croire, parfois, que certains se sont trompés d'endroit. Ils ont confondu le bureau avec le gymnase ou la plage.

Vous voulez qu'on vous remarque pour vos compétences, et non pour vos formes. Évitez alors les vêtements « extrêmes » – extrêmement courts, extrêmement moulants et extrêmement décolletés. Et, de grâce, ne vous habillez pas comme si vous alliez faire votre jogging. Si on remarque vos vêtements avant votre travail, c'est mal parti.

45. Pour éviter les fautes de goût

En règle générale, une tenue à la fois professionnelle et décontractée se situe à un ou deux crans en dessous des tenues classiques.

Type de tenue	1. Tenue décontractée classique	2. Tenue décontractée à la mode	3. Tenue relax
Image	Approchable, ouvert	Accessible	Sympathique
Articles	Veston	Veston ou chandail Superposition de 2 ou 3 articles	Denim
Couleurs	Foncées, vives	Toutes	Toutes
Chemises	Avec col (cravate facultative)	Avec col Polo	Avec ou sans col
Tissus	Lainage, lin, soie	Velours côtelé, lainage	Flanelle, denim, cuir, suède
Femmes	Tailleur-pantalon	Cardigan et pull	Chemisier à manches courtes ou sans manches
À éviter	Manches courtes, débardeurs	Denim, tissus lustrés	T-shirts avec décalques et slogans Tissus lustrés ou transparents

46. Parole de cadres

On a interrogé les dirigeants de grandes et moyennes entreprises sur la question des tenues décontractées. Voici les accoutrements que la majorité d'entre eux trouvent inacceptables.

Tenues sportives	Tenues de plage	Autres tenues
Survêtements Débardeurs sans veston T-shirts avec slogans	Spandex Débardeur sans veston Sandales en plastique	Shorts courts Hauts transparents Hauts qui laissent la taille nue

Partie 11

Soigner les détails, jusqu'au dernier

Si une femme est mal habillée,

on remarque sa robe,

mais si elle est impeccablement vêtue,

c'est elle qu'on remarque.

—Coco Chanel , styliste française

47. Être tiré à quatre épingles

Travaillez-vous de longues heures? Voyagez-vous beaucoup, toujours dans vos valises? Dans ces cas-là, on oublie facilement de faire nettoyer ses vêtements. Et après une journée de travail éreintante, on n'est plus toujours frais comme une rose, même si on ne s'en rend pas compte! Les autres par contre...

Qu'est-ce qui nous repousse le plus chez une personne. Pour la plupart, ce sont les cheveux ou les ongles sales, une mauvaise odeur ou une mauvaise haleine et des vêtements tachés. La toilette personnelle est essentielle à l'image professionnelle.

La propreté élémentaire requiert une douche quotidienne, l'emploi d'un désodorisant et des vêtements propres. Ayez toujours les cheveux, les dents et les ongles propres. Si vous vous parfumez, ne forcez pas la note.

Conseil : Il est sage d'avoir des mouchoirs sur soi. L'hiver, on a parfois le nez qui coule quand on rentre à l'intérieur. Et si vous mangez des plats épicés au restaurant, vous ne regretterez pas d'avoir un papier-mouchoir à portée... du nez. Tâchez de ne pas vous essuyer le nez avec une serviette de table en tissu.

48. Un dernier coup d'œil

Les petites choses sont souvent à l'origine des grands problèmes. Si un fil pend de votre beau tailleur, s'il manque des boutons à votre chemise, on le remarquera, et c'est tout ce qu'on remarquera. Il en sera fait de votre belle image professionnelle.

Cochez mentalement les éléments de la liste de contrôle suivante avant de quitter la maison ou pendant la journée.

- ☐ Cheveux propres, bien coiffés, sans pellicules
- ☐ Dents propres, sans nourriture coincée entre les palettes, haleine fraîche
- ☐ Ongles propres et bien taillés, pas de vernis écaillé
- ☐ Maquillage de bon goût et appliqué avec soin
- ☐ Pas de trace de crème à barbe, barbe fraîchement rasée
- ☐ Pas de boutons sur le point de se découdre, de fils ou d'ourlets pendants
- ☐ Pas de mailles dans les bas-culottes
- ☐ Pas de sous-vêtements apparents
- ☐ Chaussures bien polies, talons en bon état

Conseil : Soignez votre toilette en privé. Si vous devez limer un ongle cassé ou ôter un morceau d'épinard coincé entre les dents, trouvez la toilette la plus proche.

49. De la tête aux pieds

Prenez-vous le temps d'observer les gens qui ont toujours belle apparence? Comment font-ils pour avoir l'air parfait? La prochaine fois, demandez-vous si leur coiffure n'y est pas pour quelque chose.

Vous portez toujours votre coiffure, ce qui en fait l'accessoire le plus important de toutes vos tenues. En fait, on désigne souvent les gens par la couleur de leurs cheveux. Ne dit-on pas bien souvent la « blonde » ou le « rouquin »?

N'hésitez pas à demander, discrètement, à une personne qui a une tête superbe le nom de son coiffeur. Si la coupe coûte cher, évaluez-la comme vous feriez pour un vêtement. Et n'oubliez pas qu'une bonne coupe se coiffe dans le temps de le dire.

Les gens remarquent les chaussures une première fois lorsque vous les approchez, puis lorsque vous prenez congé. Pensez-y. Après une entrevue de recrutement, la dernière chose que l'intervieweur verra, ce sont vos talons. S'ils sont éculés, faites-les remplacer. Vos chaussures révèlent l'attention que vous portez aux détails. Choisissez des souliers qui ne sont pas fantaisistes au point d'attirer l'attention sur vos pieds. Vous voulez maintenir le contact visuel, n'est-ce pas!

Partie 12

Brasser des affaires au restaurant

Il faut manger pour vivre et

non pas vivre pour manger.

—Anonyme

50. L'éloquence des manières à table

C'est autour d'un repas qu'environ 50 % des affaires se brassent aujourd'hui. Le dîner d'affaires est bien plus qu'un simple repas – c'est l'occasion de cultiver des relations avec les employeurs, les clients et les collègues.

L'entrevue de recrutement se déroule souvent à table. En mangeant avec des clients ou des associés potentiels, on apprend à les connaître, on conclut des affaires et on planifie l'avenir. On se réunit aussi au restaurant pour fêter une promotion ou un départ. Le patron qui vous salue dans le couloir peut, à table, vous observer de plus près.

Il s'en passe des choses pendant un repas. On fait connaissance, on partage une table, on discute, on commande à boire et à manger, on échange des cartes professionnelles et on prend congé de la personne. Si votre convive s'empare du panier à pain sans vous en offrir ou se goinfre comme s'il n'y avait pas de lendemain, vous aurez des doutes de son savoir-vivre et sa délicatesse, et vous vous demanderez, avec raison, comment cette personne se comportera en affaires.

Règle d'or 12 Un repas d'affaires permet de cultiver des relations.

51. Déjeuner, dîner ou souper : à quoi s'attendre

On peut vous inviter pour déjeuner, pour dîner ou pour souper. Chaque repas comporte ses propres règles.

Repas	Heure	Durée	Discussion
Déjeuner	À compter de 6 h ou de 7 h	Environ 1 heure	On parle affaires dès que le café est servi.
Dîner	À compter de 11 h	Entre 1 h 30 et 3 h	On parle de choses et d'autres, et on attend que l'hôte commence à parler affaires, habituellement après avoir commandé.
Souper	Vers 18 h ou plus tard	Plusieurs heures	On bavarde pendant le repas, puis on passe aux choses sérieuses vers la fin du repas.

52. Pour partir du bon pied

Pour faire de votre repas d'affaires un succès, il vous suffit d'un minimum de planification.

Si c'est vous qui invitez, arrivez au restaurant une dizaine de minutes avant l'heure du rendez-vous, et attendez vos convives à l'entrée. Si on vous invite, tâchez d'être à l'heure.

Le maître d'hôtel vous conduit ensuite à la table; les invités le suivent et l'hôte ferme la marche. L'invité a toujours droit au meilleur fauteuil, que ce soit celui qui fait face à la salle ou à la fenêtre. On s'assied du côté gauche de la chaise et on se lève du côté droit.

Si vous avez un sac, déposez-le sur vos genoux ou sous la chaise, en repliant bien la courroie pour éviter de faire trébucher le personnel. Si vous avez un porte-documents, déposez-le à côté de votre chaise. Placez vos clés, vos gants et votre téléphone dans votre poche ou dans votre sac, jamais sur la table.

En attendant les derniers invités, n'hésitez pas à commander à boire. Toutefois, ne touchez à rien d'autre. La table doit rester propre et intacte jusqu'à l'arrivée des derniers convives. On saura à cette attention que vous avez de la classe.

53. Passer sa commande, comme dans du beurre

Il y a des jours où tout le monde n'en fait qu'à sa tête. Certains commandent une soupe, d'autres une salade et d'autres encore ne veulent que le plat principal. Qu'arrive-t-il? Eh bien, vous risquez d'être seul à manger... sous le regard des autres. Croyez-nous, l'expérience peut être embarrassante.

Le but d'un repas d'affaires, c'est d'établir des relations. Manger n'est qu'un prétexte. Le groupe devrait donc commander le même nombre de services et terminer le repas en même temps.

- Dans le cadre d'une entrevue de recrutement, ne commandez pas d'alcool. Certains employeurs n'apprécient pas. Optez pour une boisson gazeuse ou de l'eau minérale. En tant qu'hôte, faites comme vos invités. S'ils commandent à boire, demandez une boisson aussi, alcoolisée ou non.
- En tant qu'invité, ne commandez pas le plat le plus cher, ni plus de deux services, à moins que l'hôte ne vous y invite. Choisissez un plat de prix moyen.
- Il n'y a pas de mal à poser des questions sur la carte, mais pas au point d'ennuyer le serveur avec des détails sur les ingrédients ou la méthode de cuisson.

54. Un choix judicieux

Kim soupait récemment avec des relations d'affaires. Ils sont allés dans une chic trattoria. Avec l'éclairage tamisé, il était difficile de lire le menu. Connaissant mal la cuisine italienne, Kim a suivi la suggestion du serveur. Or, on lui a servi un osso bucco dans une sauce au vin. Lorsqu'elle est rentrée à la maison ce soir-là, elle a constaté que son chemisier était tâché de sauce. Heureusement, grâce au faible éclairage, personne ne l'avait remarqué.

Commandez des plats qui se mangent facilement avec un couteau et une fourchette. Évitez les aliments gras ou collants, et les aliments qui se mangent avec les doigts. Gardez le homard, la soupe à l'oignon gratinée et les pâtes dégoulinantes de sauce pour les repas en famille ou entre amis. Contentez-vous de plats familiers, faciles à manger. Comme ça, on ne saura pas ce que vous avez mangé en regardant vos vêtements.

55. Bien se tenir à table

Vous n'avez peut-être jamais assisté à un repas d'affaires, mais vous avez sûrement appris les bonnes manières. Voici la règle dont il faut se souvenir : tout comportement peu appétissant est discourtois. Au cas où vous auriez oublié :

1. Asseyez-vous bien droit. Évitez de vous affaler sur la table, de mettre votre chaise en équilibre sur deux pattes et d'encercler votre assiette des deux bras.

2. Mastiquez la bouche fermée. Prenez de petites bouchées et avalez avant d'ouvrir la bouche.

3. N'agitez pas vos ustensiles dans les airs et ne jouez pas avec la nourriture.

4. Ne laissez pas vos ustensiles pendre sur les côtés de l'assiette; déposez-les dans l'assiette lorsque vous ne les utilisez pas.

5. Coupez ou rompez votre pain en petites bouchées, et beurrez chaque morceau individuellement.

6. Essuyez-vous la bouche et les doigts avec la serviette de table.

56. Le couvert et ses mystères

Voici quelques règles faciles à suivre pour savoir comment se servir du couvert.

- Utilisez d'abord les ustensiles qui se trouvent le plus près de la main qui les tient – fourchettes à gauche, couteaux et cuillères à droite.

- Le nombre d'ustensiles correspond au nombre de services. Par exemple, s'il y a trois fourchettes, il y aura une salade, un plat principal et un dessert.

- Les verres se trouvent à droite de l'assiette, parce que la plupart des gens sont droitiers.

- L'assiette pour le pain ou la salade se trouve à gauche.

- Pour les ustensiles, on va de l'extérieur vers l'intérieur.

- Il se peut que la cuillère ou la fourchette à dessert soit placée devant l'assiette. Sinon, on l'apportera avec le dessert.

57. Pour finir en beauté

Terminez le repas sur une note agréable. Si vous êtes l'hôte, escortez vos invités jusqu'à la porte, échangez des poignées de main et remerciez-les d'avoir accepté votre invitation. Si vous voulez poursuivre la relation, dites à vos invités que vous les appellerez dans quelques jours pour fixer le prochain rendez-vous.

Si vous êtes l'invité, assurez-vous de remercier l'hôte ou l'hôtesse en personne. Vous seriez bien vu de lui faire parvenir un mot de remerciement. Envoyez-lui une note écrite à la main, à moins que votre écriture ne soit illisible. Elle doit lui parvenir environ 48 heures après la rencontre.

Ne distribuez pas vos cartes professionnelles au cours du repas. Attendez la fin, juste avant de prendre congé.

Partie 13

Briller dans les cocktails

Le partage d'idées permet de s'enrichir

sans jamais s'appauvrir.

—Michelle Fayet, professeur,

Chambre de Commerce et

d'Industrie de Paris

58. L'art et la manière dans les buffets

Simone, cadre supérieure, s'est fait un point d'honneur de ne jamais retenir les services de conseillers financiers qu'elle a vus s'attaquer à un buffet. On aurait dit des défenseurs qui jouent des coudes pour attraper les plats. Pour une raison mystérieuse, certains pensent que les buffets sont l'occasion de s'empiffrer.

Tout d'abord, prenez le temps d'observer la disposition de la table. Défile-t-on dans deux directions? Y a-t-il des ustensiles et des assiettes à chaque extrémité? Faites la queue dans la file la plus courte. La nourriture est la même.

Ne surchargez pas votre assiette. Commencez par une soupe ou une salade, puis revenez pour le plat principal. Si vous remarquez qu'un plat est presque terminé, contentez-vous d'en prendre une petite quantité. Servez-vous de la cuillère ou de la fourchette de service fournie avec chaque plat.

Conseil : Après avoir trempé une carotte ou une croustille dans la sauce et en avoir pris une bouchée, ne la trempez pas de nouveau. Versez plutôt la sauce dans votre assiette, et de là, faites trempette comme bon vous semble.

59. Manœuvrer les mains pleines

Vous êtes dans un 5 à 7, une boisson froide à la main. On vous présente quelqu'un. Vous déposez votre verre pour échanger une poignée de main et vous vous confondez en excuses : « Désolé! J'ai la main froide et toute mouillée. » Comme présentation, ce n'est pas très fort...

Il faut du talent pour parler à bâtons rompus tout en mangeant, une assiette dans une main et un verre dans l'autre. Mais c'est ce que nous faisons dans les cocktails. Voici un truc qui vous sera utile.

Tenez tout dans la main gauche, de manière à garder la droite propre et sèche, prête à serrer des mains. Donc, tenez votre assiette dans la main gauche et déposez votre verre sur l'assiette, en le maintenant bien en place avec le pouce. Ça fonctionne non seulement avec une coupe, mais aussi avec un verre sans pied. Tenez la serviette de table sous l'assiette. Essuyez vos doigts après avoir pris un verre froid, humide.

Choisissez des hors-d'œuvre et des bouchées qui se mangent facilement. Prenez-les dans votre assiette, avec la main droite, puis essuyez-vous les doigts dès que vous avez fini de manger. Voilà! Vous êtes fin prêt à serrer la main de quiconque vous la présentera.

60. Quelques trucs pour éviter d'avoir l'air d'un béotien

Voici quelques trucs qui vous donneront du chic dans n'importe quelle réunion professionnelle.

Les buveurs de bière : Utilisez toujours un verre dans un cocktail. Si vous aimez boire à la bouteille, faites-le dans l'intimité de votre demeure ou à la brasserie du coin. Consommez modérément, cela va sans dire. Une réunion d'affaires n'est pas une beuverie.

Les amateurs de hors-d'œuvre : Contentez-vous des aliments faciles à manger. Évitez les sauces coulantes ou les aliments qui vous rendront les doigts gras et collants.

Les cure-dents : Ne déposez jamais de cure-dents utilisés sur un plateau de service. À défaut de pouvoir les jeter dans un panier, déposez-les dans un cendrier ou sur votre serviette de table.

Les aliments chauds : Méfiez-vous des hors-d'œuvre fourrés d'une préparation brûlante. Prenez une petite bouchée pour vérifier la température. Méfiez-vous également des feuilletés dont le contenu peut éclabousser les voisins. Votre employeur ou votre client potentiel n'apprécierait guère d'avoir votre casse-croûte répandu sur sa veste.

Partie 14

Le réseautage au service de vos objectifs

Le réseautage efficace implique
le maintien des relations.
—Vicky Robert,
Publications Federated Press
Cofondatrice,
Femmes de carrière en interaction

61. Le réseautage : de la terreur au triomphe

La panique s'empare-t-elle de vous lorsqu'on vous invite à un 5 à 7? Êtes-vous terrifié à la seule idée de vous y rendre? Il n'est jamais facile de pénétrer dans une pièce remplie d'étrangers. Les études montrent que 40 p. 100 des adultes sont nerveux dans une nouvelle rencontre. Selon les résultats d'un sondage, 75 p. 100 des gens sont mal à l'aise dans les réunions professionnelles et sociales. Serait-ce parce qu'on nous a répété depuis la tendre enfance de ne pas parler aux étrangers?

Néanmoins, il vous faut apprivoiser cette nervosité, car le réseautage vous met en rapport avec d'éventuels employeurs, clients et professionnels capables de faire avancer votre carrière.

Sachez qu'il s'agit d'un savoir-faire qui s'apprend. Si certains ont plus de facilité que d'autres à lier connaissance, tous peuvent acquérir les compétences nécessaires. Comme premier exercice, lisez dans le présent ouvrage les sections (3 et 4) qui abordent la question des présentations.

Règle d'or 13

Le réseautage vous met en rapport avec des gens capables de vous aider à atteindre vos objectifs professionnels.

62. Les mille et unes vertus du réseautage

Peu importe vos objectifs professionnels, le réseautage peut certainement vous aider à les atteindre. Voici ce qu'a découvert le chercheur Mark Granovetter après avoir étudié les dossiers de centaines de professionnels et techniciens :

- 56 p. 100 d'entre eux ont obtenu leur emploi grâce à leurs contacts
- 18 p. 100 l'ont trouvé dans les journaux ou par l'intermédiaire d'un chasseur de tête
- 20 p. 100 ont directement sollicité leur futur employeur

Chaque personne que vous rencontrez vous met en rapport avec toute sa sphère de contacts. En étant recommandé par une connaissance commune, vous multipliez vos chances d'obtenir l'emploi ou le client de votre choix. Et si vous souhaitez rencontrer une personne en particulier, vous pouvez habituellement trouver quelqu'un qui connaît cette personne, en le demandant à quatre ou cinq personnes.

Le but du réseautage, c'est de faire des contacts, et non des ventes. Lorsque vous tombez sur une personne intéressante du point de vue professionnel, faites le nécessaire pour la revoir, soit en l'invitant à votre bureau ou au restaurant. Les réseaux sont là pour vous aider, sachez en profiter.

63. Une bonne préparation

Vos activités de réseautage seront plus efficaces si vous définissez votre objectif d'avance, qu'il s'agisse de rencontrer le représentant d'une imprimerie, un nouveau fournisseur informatique ou des clients potentiels.

Avant l'événement, renseignez-vous sur les gens qui y seront et sur ce qu'ils font. Vos informations les impressionneront.

Planifiez votre tenue et vos accessoires d'avance. Mettez-y une touche d'originalité. Par exemple, une cravate, une montre ou une broche qui attire l'attention peut servir d'entrée en matière.

Passez cinq ou dix minutes avec chaque personne que vous rencontrez. Si vous tombez sur quelqu'un que vous aimeriez connaître davantage, fixez un rendez-vous, puis passez à un autre interlocuteur.

Conseil : Si l'événement se déroule après le travail et que vous êtes affamé, prenez une bouchée avant d'arriver. Si c'est impossible, asseyez-vous quelques minutes et mangez légèrement dès votre arrivée, puis circulez. Évitez de parler aux gens la bouche pleine. N'oubliez pas le but du réseautage : faire des contacts.

Partie 15

Le secret des 5 à 7

N'oubliez pas que chaque personne
que vous rencontrez a,
en moyenne, quelque 200 contacts
à partager avec vous !
—Lise Cardinal, auteure,
Comment bâtir un réseau
de contacts solides

64. Le cauchemar des noms à se rappeler

Quand on rencontre une personne pour la première fois, quelle est la chose la plus importante, et la plus difficile? Se souvenir de son nom, n'est-ce pas! Heureusement, dans les cocktails, les gens épinglent souvent un carton porte-nom. Ça vous facilite la tâche.

Voici un truc. Placez votre carton sur l'épaule droite, où les gens peuvent le lire facilement. Au moment de serrer la main, le carton de votre interlocuteur se trouvera naturellement dans votre champ de vision. Ne le mettez pas sur la poche de votre veston ou sur votre sac à main. De même, ne le suspendez pas à une corde autour du cou. Imaginez un peu les gens vous scruter la poitrine à la recherche de votre nom!

Conseil : Vous pouvez épingler votre carte professionnelle au lieu du carton porte-nom. Si votre nom ressort mal, écrivez-le en lettres plus grandes. Aussi, vous pouvez inscrire le nom de votre entreprise et votre titre sur le carton. Les gens se souviendront plus facilement de ce que vous faites, et ça pourra alimenter la conversation.

65. Circuler en solitaire

La pensée d'approcher des étrangers vous remplit-elle d'appréhension? Voici quelques conseils qui vous rendront la tâche moins pénible :

1. Tenez-vous près de la porte. Vous aurez ainsi l'occasion d'échanger quelques paroles avec beaucoup de monde.

2. Approchez des personnes qui sont seules. Comme vous, elles se sentent probablement mal à l'aise, et vous sauront gré de les dépanner.

3. Rappelez-vous que les gens se rassemblent habituellement au bar ou au buffet. Approchez-vous, et faites quelques commentaires à quiconque s'y trouve au sujet de la nourriture, du décor et de l'événement.

4. Quand il y a trois personnes, il y en a une de trop, ne l'oubliez pas. Deux personnes en grande conversation ne veulent peut-être pas que vous les interrompiez. Approchez plutôt des groupes de trois personnes ou plus.

5. Jouez le rôle de l'hôte. Présentez les gens que vous connaissez. Donnez des indications (téléphones, toilettes) si on vous le demande. Bientôt, vous bavarderez comme de vieux amis.

66. Des étrangers à apprivoiser

Si vous êtes timide, sachez que la plupart des gens craignent le rejet et ne vous jugent pas. On a tous connu le rejet un jour ou l'autre, et on s'en remet. Dans des situations professionnelles, cependant, les gens cherchent à créer des liens, et c'est pourquoi ils se réunissent. En fait, la plupart veulent rencontrer de nouveaux visages, même s'ils finissent par parler avec leurs collègues, la timidité les empêchant d'approcher des étrangers.

Pour mettre toutes les chances de votre côté, observez les groupes pendant quelques instants. N'interrompez pas deux personnes en tête-à-tête, mais recherchez des groupes où l'on semble s'amuser ferme, où la conversation va bon train. Approchez-vous, suivez la conversation, puis profitez d'une pause pour vous présenter.

Dites quelque chose du genre : « Bonjour, je m'appelle Jeanne. Puisque je ne connais personne ici, je me présente moi-même. » On se montrera empathique à votre égard. Interrogez les gens sur l'événement, sur la raison qui les a amenés à y participer. Demandez-leur s'ils y viennent pour la première fois. Si vous êtes à court d'inspiration, demandez comment vont les affaires.

Soyez sincère dans vos propos, souriez et établissez le contact visuel. Soyez optimiste, et tout ira bien.

67. Une présentation originale

Thomas : « Alors, que faites-vous? »
Alice : « Je suis comptable. Et vous? »
Thomas : « Je suis analyste de système. »
Alice : « Comme c'est intéressant. »

Combien de fois avez-vous entendu un tel échange? Vous avez 60 secondes pour éveiller l'intérêt d'un étranger. Une présentation originale peut faire des merveilles. En disant que vous êtes analyste de système, vous dites qui vous êtes, et non ce que vous faites. Les gens ont besoin de savoir ce que vous faites, en quoi vous pouvez leur être utile, en quoi vos services sont les meilleurs. Voici quelques exemples :

« Bonjour, je m'appelle Alain Larose. Je peux vous aider à garder le monde en perspective. Je suis optométriste. »

« Salut. Je m'appelle Josée Beauregard. J'aide les gens à trouver l'emplacement idéal pour leurs bureaux. Je suis l'as de l'espace.

Trouvez une formule originale, et exercez-vous jusqu'à ce qu'elle vienne naturellement. Imaginez que vous rencontrez une personne intéressante dans l'ascenseur. Grâce à votre présentation, vous pourrez lier connaissance en quelques secondes.

Règle d'or 14 Une présentation originale vous permet de faire effet en une minute.

68. Passer maître dans l'art de « réseauter »

Il faut reconnaître que certaines personnes ont un talent inouï. Elles s'approchent et prennent congé des groupes avec doigté, et parlent avec tout le monde, ou presque. Inspirez-vous de leurs techniques :

1. Circulez pour rencontrer plusieurs personnes. Évitez de vous asseoir, ça vous met hors jeu.

2. Passez cinq ou dix minutes avec chaque personne. Puis approchez un autre groupe ou une autre personne.

3. Préparez d'avance quelques sujets de conversation. Consultez la section sur la conversation.

4. Ayez votre carte professionnelle à portée de la main. Offrez-la aux gens que vous aimeriez revoir.

69. Votre carte professionnelle à portée de la main

Avez-vous déjà fouillé dans votre poche pour remettre votre carte à quelqu'un qui, après y avoir jeté un coup d'œil, vous dit, perplexe : « Je ne savais pas que vous étiez à la quincaillerie Rafistole. » Lui auriez-vous par hasard donné la carte de quelqu'un d'autre? Eh oui!

Avant l'événement, organisez-vous. Glissez des cartes dans votre poche ou à un endroit facilement accessible. Placez les cartes qu'on vous donne dans une autre poche. Ayez de quoi écrire sous la main, au cas où vous voudriez prendre des notes.

L'échange des cartes est une bonne façon de mettre fin à la conversation. Après avoir offert votre carte, prenez congé de la personne et dirigez-vous vers un autre groupe.

Conseil : La carte professionnelle n'est pas un vulgaire carton sur lequel vous pouvez griffonner. Si vous voulez y noter une information, attendez d'avoir pris congé de la personne qui vous l'a remise. Mais si vous devez y noter quelque chose tout de suite, demandez d'abord la permission.

70. Tirer sa révérence avec élégance

Vous savez ce que c'est : vous trouvez enfin quelqu'un avec qui parler, mais comment mettre fin à la conversation? Vous êtes tous les deux embêtés, si bien que vous passez tout le 5 à 7 en compagnie de votre premier interlocuteur, et adieu les autres contacts.

Pour mettre fin à la conversation, prenez congé de l'autre après avoir parlé, plutôt que de vous éloigner au moment où l'autre termine une phrase, ce qui peut paraître impoli.

Évitez de donner des excuses. En disant que vous allez chercher une bouchée ou un verre au bar, l'autre pourra vous accompagner ou, pire encore, vous demander de lui rapporter un verre. Même chose avec les toilettes. On peut vous y suivre!

Un prétexte qui fonctionne habituellement, c'est de dire qu'on doit passer un coup de fil. Il est rare qu'on suive quelqu'un au téléphone. Mais la meilleure façon de prendre congé, c'est de dire : « Ça m'a fait plaisir de parler avec vous », de serrer la main et de circuler. Voilà, le tour est joué.

71. Donner suite aux rencontres

Certains assistent à des cocktails et se demandent pourquoi ça ne porte jamais fruit. Se rendre à l'événement n'est que la première étape. Il faut ensuite faire un suivi.

Après avoir rencontré un client potentiel, notez des renseignements importants à son sujet, même des informations d'ordre personnel. Vous aurez ainsi une raison de communiquer avec lui par la suite. Par exemple, en apprenant qu'un client potentiel est à la recherche d'une école de dressage pour son chiot, vous pourrez le rappeler pour lui donner des renseignements à ce sujet.

Donnez suite à vos rencontres importantes en appelant ou en écrivant. Un mot écrit à la main est préférable, mais vous pouvez aussi le taper sur du papier à en-tête. Invitez un client potentiel à passer à votre bureau, ou encore, à prendre un repas avec vous.

Enfin, livrez la marchandise promise. Envoyez le dépliant, l'article ou l'information dont il a été question.

Partie 16

Le grand art de la petite conversation

Une parole honnête fait impression
quand elle est dite simplement.
—William Shakespeare, *Richard 111*

72. Parler de tout et de rien, un art qui s'apprend

Jean s'approche de Suzanne pendant un cocktail. Il se présente, et lui demande si elle est originaire d'ici. « Non », répond-elle. Jean se creuse les méninges pour enchaîner. « Connaissez-vous des gens ici? », finit-il par dire. « Non, pas vraiment. Et vous? » « Moi non plus. » Comme entrée en matière, on a déjà vu mieux.

Après quelques minutes d'un silence gêné, Jean dit : « Eh bien, ça m'a fait plaisir de faire votre connaissance. » « Ouais, moi aussi », répond l'autre. Ils s'éloignent. Mais l'un et l'autre doivent penser qu'il est très difficile de faire connaissance.

On connaît tous l'importance de la conversation, mais sait-on aussi que c'est une compétence qui s'acquiert? L'échange n'aurait-il pas été plus intéressant si Suzanne avait spontanément ajouté d'où elle venait, ou si Jean lui avait posé quelques questions sur ses antécédents? Les techniques de la conversation s'apprennent facilement, et peuvent faire des merveilles.

Règle d'or 15 Le bavardage peut mener à de grandes choses.

73. Pour briser la glace

Avez-vous une entrée en matière? N'importe quoi, ou presque, fera l'affaire. Il suffit que ce soit un commentaire positif; vous conviendrez qu'il est déplacé d'engager une conversation en râlant contre la nourriture, la musique ou l'ambiance.

Un compliment ouvre bien des portes. Soulignez l'originalité de la cravate ou de la broche de votre interlocuteur, ou la délicatesse des hors-d'œuvre. Tout sujet d'actualité convient également. Ayez-en quelques-uns en tête.

Si vous êtes en panne d'imagination, n'hésitez pas à recourir aux bons vieux clichés. Par exemple, la météo fonctionne toujours. On a tous notre opinion sur la dernière vague de chaleur, la tempête de verglas ou le réchauffement planétaire.

74. De la suite dans les idées

Marie et Pierre viennent de faire connaissance. Apprenant de Pierre qu'il rentre de Vancouver, Marie peut poursuivre la conversation de l'une des deux façons suivantes.

« J'adore cette ville. Elle est si belle. Quel a été le point fort de votre voyage? »

« Je n'ai jamais visité Vancouver, mais j'espère bien y aller un jour. Que recommanderiez-vous à une touriste? »

D'une façon ou de l'autre, Marie pose des questions ouvertes qui favorisent la conversation. Posez des questions qui commencent par qui, quoi, où, quand, comment, pourquoi. Évitez de poser des questions auxquelles on peut répondre par oui ou non.

De même, prenez garde de ne pas jeter un froid sur la conversation par des réponses du genre : « On a déjà essayé cette méthode. Ça ne fonctionne absolument pas. » Plutôt, posez des questions et manifestez votre intérêt par des commentaires : « Dites-m'en davantage sur... », « Avez-vous songé à d'autres aspects... », ou plus simplement, « Comme c'est intéressant ». Enfin, n'oubliez pas qu'un compliment sincère, un sourire, voire un éclat de rire, amèneront les autres à vouloir vous faire la conversation.

75. Une conversation brillante

Que c'est agréable de parler avec ce type, entend-on dire parfois d'une personne qui parle étonnamment peu. Comment est-ce possible? Cette personne sait écouter : elle accorde toute son attention à son interlocuteur. Savoir écouter ne va pas de soi; la plupart des gens pensent à leur prochaine intervention au lieu de se concentrer sur les paroles de l'autre.

Pour montrer que vous écoutez, inclinez légèrement le corps dans la direction de votre interlocuteur, approuvez par des hochements de tête et prononcez quelques paroles telles que « d'accord », « oui », « je vois », etc.

Si regarder quelqu'un dans les yeux vous intimide, balayez le visage de votre interlocuteur du regard, du front au menton, sans le fixer. Rompez le contact momentanément pendant que vous parlez, puis regardez de nouveau votre interlocuteur.

En écriture chinoise, le terme écoute est formé des idéogrammes représentant les oreilles, les yeux et le cœur.

76. La technique de l'écho

Pour alimenter la conversation, reprenez les dernières paroles de l'interlocuteur. En voici un exemple.

Suzanne : « Mon imprimerie prend de l'expansion. »

Jacques : « Votre imprimerie, dites-vous? »

Suzanne : « Oui, je veux offrir à ma clientèle une gamme complète de services. Vous savez, la copie rapide, la copie couleur, etc. »

Jacques : « Copie rapide, copie couleur...? »

Suzanne : « Bien sûr, les clients veulent ces services... »

Et ainsi file la conversation. Pour briser le rythme et ne pas avoir l'air d'un perroquet, glissez quelques commentaires du genre : « Ah bon!..., dites-m'en davantage..., comme c'est intéressant... » Ce genre de conversation peut durer longtemps, vous verrez.

77. Le sujet de l'heure

On pense, à tort, que le bavardage est sans importance. Mais faire un brin de conversation intéressant est une aptitude essentielle à l'établissement de contacts. Voici quelques préparatifs utiles.

- Suivez l'actualité. Lisez au moins un journal chaque jour.
- Conservez des articles intéressants publiés dans les journaux et les revues.
- Lisez les périodiques et les bulletins qui se rapportent à votre domaine.
- Renseignez-vous sur les concerts, les spectacles, les matchs sportifs et les films à l'affiche.
- Amorcez la conversation par une blague de bon goût, ou une anecdote personnelle. L'humour a un effet rassembleur.

78. Attention aux gaffes

Ça vous intéresse d'entendre parler d'écrasements d'avion? de la bactérie mangeuse d'hommes? de la dernière épidémie de grippe? Pas vraiment!

Les sujets embêtants font fuir la compagnie. Tout comme les problèmes de santé personnels. Bien sûr, il y a beaucoup de problèmes dans le monde, mais les gens veulent l'oublier lorsqu'ils se réunissent pour causer. Ils sont là pour se détendre et s'amuser un peu.

Des sujets controversés comme la religion et la politique dégénèrent souvent en discussions enflammées, parfois difficiles à éviter. Si vous vous trouvez mêlé à une discussion qui tourne au vinaigre, vous pouvez dire quelque chose du genre : « Certains voient les choses de cet œil, mais on peut aussi les voir sous cet angle... », ou encore, « J'ai tendance à penser comme les gens qui disent... » Évitez à tout prix de contredire les autres.

On peut aussi entamer une conversation par une bonne blague, à condition qu'elle ne soit offensante pour personne. De grâce, évitez les histoires racistes, ethniques, sexistes et grivoises. Elles déplaisent à plus de gens que vous ne le pensez. De même, ne racontez jamais d'anecdotes réelles sur des gens que vous connaissez. Vous ne savez pas qui est la belle-sœur ou le cousin de la personne en cause.

79. La conversation et le tennis

Avez-vous déjà rencontré une personne qui monopolise la conversation? Qui accapare toujours l'attention? Qui a une histoire meilleure à raconter que la vôtre, et qui ne peut se taire une seconde de plus? En fait, vous feriez mieux d'oublier votre histoire. L'autre n'a aucune intention de vous écouter.

Une conversation, c'est un peu comme un match de tennis. Vous engagez la conversation, puis vous envoyez la balle dans l'autre camp. Votre vis-à-vis poursuit, et vous renvoie la balle. Faute d'un tel échange, c'est le monologue. Et votre interlocuteur trouvera une bonne excuse pour s'éclipser, car l'expérience est déplaisante.

Soyez énergique et enthousiaste, et apportez votre grain de sel. Réagissez avec intérêt à ce que les gens disent, donnez-leur du renforcement positif. Votre enthousiasme vous fera apprécier, les gens sentiront que vous vous intéressez à ce qu'ils disent. Et on voudra toujours converser avec vous.

80. Le pire irritant de la conversation

Qu'est-ce qu'on déteste le plus en parlant avec quelqu'un? Se faire interrompre à tout bout de champ, n'est-ce pas! C'est énervant de ne pouvoir se rendre à la fin d'une phrase.

Selon les études, se faire interrompre est ce qui embête le plus les gens. Beaucoup le font sans même s'en rendre compte. Si on vous dit souvent : « Je vous en prie, laissez-moi terminer », c'est que vous coupez la parole plus souvent que vous ne le croyez.

Concentrez-vous sur les paroles de votre interlocuteur, plutôt que sur votre prochaine intervention. Vous aurez ainsi plus de facilité à le laisser aller au bout de sa pensée. Et une petite pause ne signifie pas qu'il a terminé. Donnez aux gens le temps de s'exprimer complètement. Ils n'en seront que mieux disposés pour vous écouter.

Partie 17

Faire bonne impression au téléphone

Le téléphone n'est pas un traitement de texte. Il ne donne au locuteur qu'une seule chance.

—Alain de Botton

81. L'appel téléphonique : une poignée de main à distance

Plus de 75 p. 100 des affaires qui se brassent commencent par un coup de fil. Dans certains cas, le téléphone est le seul contact qu'on a avec une personne. L'impression produite au téléphone est la première et souvent la seule impression que vous donnerez à votre interlocuteur.

On téléphone pour se présenter, pour donner et obtenir de l'information, pour fixer des rendez-vous et pour faire des suivis. Votre sort tient parfois tout entier dans un appel, par exemple l'entrevue de recrutement que vous sollicitez, le client que vous voulez convaincre ou le rendez-vous que vous voulez obtenir.

La personne au bout du fil ne voit rien, ni vêtements, ni gestes, ni bureau. Seuls vos mots et votre voix pourront la convaincre de faire affaire avec vous. Il faut donc que vos manières téléphoniques donnent toute la mesure de vos compétences et de votre crédibilité.

Règle d'or 16 La première impression que vous faites au téléphone risque d'être la seule.

82. Chaleur et dynamisme dans la voix

Vous demande-t-on souvent de répéter? Par hasard, mangeriez-vous vos mots? Demandez à un ami de vous dire comment sonne votre voix. Pour que votre interlocuteur vous comprenne, votre voix au téléphone doit être claire et suffisamment forte, mais sans être criarde ni stridente.

Les gens aiment bien écouter une voix agréable. En revanche, les voix aiguës sont souvent considérées peu professionnelles, et les voix nasillardes, rauques ou inaudibles sont peu intéressantes.

Le dynamisme que vous mettez dans votre voix compte pour beaucoup. En position assise, on a le diaphragme comprimé, mais quand on est debout, on respire plus librement. Ce qui se traduit par un surcroît d'énergie perceptible dans la voix.

Un autre truc consiste à sourire pendant qu'on parle. Même si l'autre personne ne vous voit pas, le fait de sourire donnera de la chaleur à votre voix!

83. La recette

Avant de faire un appel important, prenez quelques minutes pour vous préparer. Vous aurez une meilleure chance d'obtenir ce que vous souhaitez.

1. Sachez pourquoi vous appelez, et préparez l'information ou les questions pertinentes. Notez-les sur un bout de papier, car de cette façon, vous ne perdrez pas le fil durant la conversation.

2. Ayez tout ce dont vous avez besoin à portée de la main, c'est-à-dire un crayon et un papier, un calendrier pour fixer un rendez-vous et d'autres renseignements obtenus précédemment. Vous éviterez ainsi de mettre l'interlocuteur en attente pour trouver l'information pertinente.

3. Prenez des notes. Au cours de l'appel, inscrivez les points importants. Vous ferez ainsi preuve d'efficacité et de minutie, et ça vous évitera de rappeler pour obtenir la même information.

84. Des appels professionnels

Pour paraître plus professionnel, dites « Bonjour » au lieu de « Allô » au début de l'appel. Faites ensuite une courte pause, puis nommez-vous, prénom et nom. Si vous travaillez en entreprise, donnez le nom de l'entreprise et le service.

« Bonjour. Jeanne Leclerc, de la société ABC, à l'appareil. Puis-je parler à Joseph Blois. »

« Bonjour. Ici Jacques Lebel, du service de comptabilité de la société ABC. Je retourne l'appel de Suzanne Lalonde. »

Évitez à la réceptionniste d'avoir à vous demander votre nom. Vous aurez l'air d'un néophyte. Pour montrer que vous n'êtes pas né de la dernière pluie, mentionnez immédiatement votre nom et celui de votre entreprise.

85. Quelques tuyaux pour faire bonne impression

1. Lorsque la sonnerie retentit, répondez rapidement, dans les trois coups si possible. Vous montrez ainsi aux gens que leur appel est important pour vous.

2. Répondez en disant « Bonjour », puis donnez votre nom et votre service, ou le nom de votre entreprise.

3. Parlez clairement, avec courtoisie. Ayez un sourire dans la voix. Dans la conversation, utilisez le nom de la personne lorsque ça s'y prête. Notez par écrit les renseignements importants.

4. Terminez l'appel sur une note positive, en utilisant toujours le nom de la personne. « Ce fut un plaisir de parler avec vous Mme Gagnon. » Ne raccrochez pas trop vite, votre interlocuteur trouvera le son du combiné plutôt désagréable et pourra croire que vous lui avez raccroché au nez!

86. Savoir laisser des messages

Imaginez recevoir ce message : « Ici Rita Mel...nou...djan... S'il vous plaît me rappeler au 43... tsi... hui..., indicatif régional 987. » Comment rappeler cette personne, hein?

1. Rita a marmonné son nom de famille à toute vitesse. Vous connaissez votre nom, mais pas les autres. C'est pourquoi vous devez le prononcer clairement et lentement. Si vous portez un nom inusité ou difficile à prononcer, épelez-le.

2. Rita donne son numéro trop vite. Les gens ne peuvent pas noter 10 chiffres si vous ne les dites pas posément.

3. Rita ne donne ses coordonnées qu'une seule fois. Si la personne que vous appelez ne vous connaît pas, répétez votre nom et votre numéro de téléphone à la fin du message. Elle vous sera reconnaissante de ne pas avoir à réécouter le message à plusieurs reprises.

87. Les messages d'un goût discutable

Avez-vous déjà eu, comme message d'accueil, le chien de la famille qui aboie au bout du fil? Ou une voix d'enfant qui vous dit de rappeler plus tard parce qu'il n'y a personne à la maison. Ça peut aller pour des appels entre amis, mais imaginez qu'un employeur potentiel vous appelle pour une entrevue de recrutement. Que va-t-il penser?

Dans le monde des affaires, il faut un message professionnel clair et concis. Évitez les effets sonores, les accents qui se veulent mignons, les voix d'enfant et les chats qui miaulent. De même, retenez-vous de conter des blagues ou de faire jouer des mélodies mielleuses. Ce qui est charmant pour vous peut être agaçant pour les autres. Et ce qui est comique une fois tape sur les nerfs au bout de la troisième.

Voici un exemple de message sobre, professionnel. Écrivez le vôtre et répétez-le jusqu'à ce qu'il paraisse naturel.

« Bonjour. Ici Jacques Leblanc. Veuillez laisser votre nom et numéro de téléphone. Je vous rappellerai dans les plus brefs délais. »

88. Sophistiqué jusqu'au bout du fil

Quelle image vous vient à l'esprit à l'écoute du message suivant : « Je ne peux répondre parce que je suis occupé en ce moment »? Vous demandez-vous ce que cette personne est en train de faire au juste? Ce n'est pas très réussi comme message, vous en conviendrez. Que diriez-vous plutôt de celui-ci : « Je ne suis pas disponible en ce moment. Veuillez laisser un message, et je vous rappellerai dès que possible. Au revoir. »

Une trop grande familiarité dans un contexte professionnel est mal vue. N'oubliez pas, l'autre personne ne vous voit pas, si bien que ce que vous dites est de la plus haute importance. Surveillez votre langage. Évitez de dire des phrases telles que « Bougez pas une minute ». Trop familier. Si vous devez mettre la personne en attente, demandez-lui d'abord la permission. « Puis-je vous mettre en attente un moment, ou préférez-vous que je vous rappelle? »

Songez à la façon de mettre fin à la conversation. « Bye bye » manque un peu de sérieux. « Au revoir », c'est nettement mieux, et plus sophistiqué.

89. La pire gaffe téléphonique

Vous êtes dans le bureau de quelqu'un, la personne répond au téléphone et s'engage dans une longue conversation. Comment vous sentez-vous? Irrité, contrarié? C'est la réaction normale.

La personne en votre compagnie est toujours plus importante que la personne au bout du fil. Les gens ont tendance à l'oublier. Grave erreur. Si on vous appelle pendant un rendez-vous d'affaires, laissez votre boîte vocale prendre l'appel. Mais si vous attendez un appel important, excusez-vous auprès de la personne qui se trouve en votre compagnie, prenez l'appel et fixez une heure pour rappeler.

De même, si vous êtes au téléphone et que vous entendez le bip indiquant un autre appel, laissez la boîte vocale prendre l'appel. Si vous parlez à une personne que vous connaissez bien, demandez-lui si cela l'ennuie d'attendre un instant pendant que vous vérifiez qui appelle sur l'autre ligne. Mais n'oubliez pas que c'est la personne à qui vous parlez qui a préséance. Dites à l'autre que vous la rappellerez dès que possible.

90. Des appels efficaces

Voici quelques conseils grâce auxquels vos appels seront plus efficaces.

Si vous téléphonez de la maison, faites-le sans être incommodé par des bruits tels que le lave-vaisselle, la radio, la télévision, les enfants, etc.

Tenez-vous en à votre propos et soyez bref. En affaires, les gens n'ont pas le temps de bavarder pendant la journée. Évitez les digressions. On aura l'impression que vous n'avez rien d'important à faire.

Ne mangez pas, ne mâchez pas de gomme et ne buvez pas pendant un appel professionnel. Personne n'aime entendre le son de la mastication. Évitez de froisser vos papiers ou de pianoter sur votre clavier. L'autre personne se rendra compte que vous ne lui accordez pas toute votre attention.

Partie 18

La correspondance d'affaires – votre image sur papier

Le courrier, c'est un coup de
téléphone qui part à pied.
—Jean-Marie Gourio,
scénariste de bande dessinée

91. Une image soignée

Des lettres noires sur du papier blanc font de l'effet. Si votre premier contact se fait par lettre, plutôt qu'en personne ou qu'au téléphone, vous devez en soigner la présentation.

Une lettre d'affaires a plus de substance qu'un simple message. Il s'agit d'un document permanent dans lequel vous devez vous montrer à votre avantage. On conserve les lettres, on les relit et on les montre parfois à d'autres. Les gens qui vous ont déjà rencontré, se feront une nouvelle opinion de vous la première fois qu'ils liront votre lettre.

Si votre lettre est bien tournée, on retiendra votre nom. Mais si elle contient des fautes de frappe et d'orthographe, on risque de la jeter au panier. Assurez-vous de présenter une lettre de facture professionnelle, qui dégagera une forte impression.

Règle d'or 17

Créez chez les gens une impression durable grâce à votre correspondance d'affaires.

92. L'art d'une belle présentation

On tombe parfois sur des lettres si mal écrites qu'on ne sait par où commencer la lecture. Comme si l'auteur venait de découvrir que l'ordinateur lui donne accès à des dizaines de polices. Mais est-ce une bonne raison de les utiliser toutes dans la même lettre! Tenez-vous en à deux polices, une pour les titres ou les en-têtes et l'autre, pour le corps du texte.

De même, utilisez la même disposition, soit à un alignement (tout est aligné à la marge de gauche), soit avec aliéna (les paragraphes commencent en retrait, et la date et la signature sont alignées à droite). Les gens préfèrent habituellement la disposition à un alignement. (Voir les exemples en annexe.)

La lettre doit être concise. Selon les spécialistes de la correspondance d'affaires, un paragraphe ne doit pas compter plus de sept lignes. De même, il ne sert à rien de surcharger la page, c'est-à-dire pas plus de deux ou trois paragraphes. Si la lettre est plus longue, poursuivez sur une autre page.

93. Droit au but

Sylvia, directrice des ressources humaines, reçoit souvent des lettres adressées à « Madame, Monsieur » et « À qui de droit ». Elle les jette au panier sans même les lire. « Je suis une femme occupée, se dit-elle. Si la personne qui m'écrit, ne fait pas l'effort de trouver mon nom, pourquoi me donnerais-je la peine de lire sa lettre? »

Le corps de la lettre doit commencer par un appel, c'est-à-dire le nom de la personne à qui vous vous adressez. Si vous la connaissez bien, nommez-la directement. Dans le cas contraire, utilisez le titre de civilité, soit Madame ou Monsieur au long.

Le corps de la lettre donne de l'information. Le premier paragraphe énonce le but de la lettre. Exposez-le clairement, en termes concis. Pour terminer, précisez l'action souhaitée.

La salutation, à la fin de la lettre, varie selon le degré de formalité. La formule *l'expression de mes sentiments les meilleurs* convient parfaitement à une relation d'affaires, tandis que *Salutations sincères* est indiqué dans une lettre moins officielle.

94. Les cinq secrets d'une lettre de présentation réussie

Une lettre d'affaires vise un but particulier, à savoir fournir de l'information ou solliciter une action. Voici les cinq étapes qui vous mèneront à votre but :

1. Pour commencer, énoncez clairement la raison d'être de la lettre et précisez ce que vous souhaitez obtenir.

2. Trouvez le ton qui convient au destinataire.

3. Donnez à votre lecteur l'information dont il a besoin pour donner suite à votre demande.

4. Rédigez votre lettre en termes simples et factuels. Évitez les détails superflus et les renseignements d'ordre personnel.

5. Pour conclure, proposez une action, soit celle que vous comptez entreprendre, soit celle que vous aimeriez que le destinataire entreprenne.

95. Les avantages d'une note manuscrite

On se sent spécial, n'est-ce pas, lorsqu'on reçoit un mot écrit à la main. C'est habituellement la première lettre qu'on choisit parmi la pile de factures et de publicités.

On veut tous être apprécié et reconnu. Lorsqu'on reçoit un mot de remerciement ou de félicitations rédigé à la main, on se sent unique. Pour la simple raison que plus personne aujourd'hui ne prend le temps d'écrire des mots.

Dans quelles circonstances convient-il d'écrire un mot de remerciement? C'est simple. Adressez un mot à quiconque vous accorde plus de 15 minutes pour vous rendre service. Grâce à cette attention, on saura que :

1. vous reconnaissez et appréciez les efforts d'autrui à votre égard.

2. vous êtes une personne professionnelle qui a de la suite dans les idées.

3. vous n'hésitez pas à en faire un peu plus.

96. Le mot de remerciement

Une lettre de remerciement ne doit pas être longue. Trois phrases font amplement l'affaire, comme dans l'exemple ci-dessous.

1. Dans la première phrase, remerciez le destinataire de l'événement ou du service rendu.

2. Enchaînez avec une phrase expliquant ce que vous avez apprécié de l'événement ou du service rendu.

3. Terminez par une salutation cordiale ou une mention concernant une rencontre future.

Cher Pierre,

Ce fut un plaisir de vous rencontrer au cocktail mercredi dernier. Vous m'avez fourni de précieux conseils sur les débouchés du marché du travail, et j'ai bien apprécié les pistes d'emploi que vous m'avez données. J'espère qu'on se reverra le mois prochain.

Sincères salutations,

Patrick

Partie 19

La « techtiquette » : communiquer à l'ère électronique

Ce qui manque avec l'ordinateur
c'est de mâchouiller
le bout du crayon.
—Anonyme

97. Le cellulaire et les bonnes manières

Richard est au restaurant, en pleine conversation avec des clients potentiels, lorsque son cellulaire, resté dans son porte-documents, se met à sonner. Aux autres tables, on se tourne vers lui d'un œil désapprobateur. En attendant de voir le dentiste, Marie fait un appel sur son cellulaire pour discuter d'un nouveau contrat. Les autres patients lui lancent des regards furieux.

Parler au téléphone en présence d'autres personnes n'est pas seulement un manque de considération pour autrui, mais aussi un geste indiscret et peu professionnel. Si vous devez utiliser un téléphone cellulaire en public, trouvez un endroit à l'écart et parlez brièvement. Si vous appelez une personne à son numéro cellulaire, c'est elle qui prend en charge le coût de la conversation; assurez-vous que votre appel soit le bienvenu.

Fermez la sonnerie de votre téléphone dans un endroit public (ascenseur, avion, train, restaurant). Évitez de vous servir de votre appareil dans les salles d'attente, les réunions, les cinémas... bref, partout où vous risquez d'embêter les autres. En voiture, le cellulaire peut vous distraire et causer un accident. Arrêtez-vous si vous devez faire un appel.

98. Le télécopieur

En affaires, vos télécopies doivent être aussi bien préparées que toute autre communication écrite. La page couverture doit comprendre :

- Le nom de l'expéditeur et du destinataire
- Le numéro de télécopieur de l'expéditeur et du destinataire
- Le numéro de téléphone de l'expéditeur
- La date
- Le nombre de pages de l'envoi

Réservez une ligne pour préciser l'objet de la télécopie. Prévenez le destinataire si vous lui envoyez beaucoup de pages. Au besoin, ajoutez un bref message au sujet du matériel que vous lui envoyez.

Pour vous assurer que la télécopie est facile à lire, laissez beaucoup d'espace dans la marge. Les petits caractères peuvent être difficiles à lire, si bien que vous pouvez augmenter la police à 14 ou à 16 points. De même, il est parfois utile d'appeler le destinataire pour vérifier s'il a bien reçu l'envoi.

99. Le courriel

D'un clic de souris, on peut rejoindre instantanément des gens au bout de la ville ou au bout du monde. Avec la rapidité des communications, on sacrifie parfois la précision et la qualité. Un laisser-aller inacceptable, voire parfois offensant, s'installe sans même qu'on s'en rende compte. Mais la vitesse n'est pas une excuse valable.

Lorsque vous écrivez un courriel, appliquez les mêmes règles que lorsque vous écrivez une lettre d'affaires. Surveillez la grammaire, l'orthographe et n'oubliez pas d'inclure des formules de politesse. Soyez clair et concis.

Indiquez l'objet du message dans l'espace réservé à cette fin. En affaires, les gens reçoivent des centaines de messages et n'ont pas le temps de les lire en entier pour savoir de quoi il retourne. Si vos messages sont clairs, on y donnera suite sans tarder.

100. La nétiquette

Avec les milliards de messages qui gravitent tous les jours dans le cyberespace, on a développé un savoir-vivre en réseau – la nétiquette.

Le message doit être court, vingt lignes environ (longueur d'un écran). Si l'information est plus volumineuse, annexez-la au message (fichier joint).

Utilisez le courrier électronique pour réduire le temps passé au téléphone et en réunion.

Ne l'utilisez pas pour toutes les communications. Il s'agit d'un médium impersonnel qui ne permet pas de voir et d'entendre l'autre. Dans certains cas, il est préférable de téléphoner ou de rencontrer les gens en personne.

Ne vous attendez pas à recevoir une réponse sur-le-champ. Le courriel est rapide, certes, mais donnez au destinataire le temps de lire le message et d'y répondre.

Évitez d'envoyer le message à plusieurs reprises. Le destinataire n'appréciera pas.

Conseil : Les courriels envoyés depuis votre lieu de travail ne sont pas confidentiels. L'entreprise a le droit de les consulter, qu'ils soient d'ordre professionnel ou personnel. Évitez d'étaler votre vie privée dans l'espace cybernétique.

Partie 20

Toutes les conditions réunies

En toute circonstance il convient de savoir
jouer avec les apparences.
—Goldman Smythe

101. Tout est dans l'image

Connaissez-vous cette histoire?

Une célébrité est assise au restaurant et demande au serveur un supplément de beurre. Le serveur répond : « Désolé Monsieur, une noix de beurre par client. » La célébrité, indignée, lui demande : « Savez-vous qui je suis? » « Non, répond le serveur, qui êtes-vous donc? »

Après avoir énuméré tous ses faits d'armes, la célébrité enchaîne : « Et maintenant, allez-vous m'apporter une noix de beurre? » « Désolé Monsieur, c'est impossible, répète le serveur. Savez-vous qui je suis? »

« Non, répond la célébrité. Qui êtes-vous? »

« Je suis la personne responsable du beurre. »

C'est la façon dont les gens vous perçoivent qui crée votre image. Et celle-ci dépend de la façon dont vous vous présentez. Même si vous n'êtes que la personne responsable du beurre, faites de votre mieux pour bien vous acquitter de votre tâche. En étant sûr de vous, vous commanderez le respect.

102. Cent fois sur le métier remettez votre ouvrage

Dans la génération de nos parents et grands-parents, les gens occupaient souvent le même poste toute leur vie, et recevaient à leur retraite une belle montre en or. Mais aujourd'hui, le vent a tourné. On peut changer d'employeur, voire de carrière, plusieurs fois au cours d'une vie. On doit donc « se vendre » au prochain employeur ou client.

Il ne s'agit pas de vendre son âme au diable, bien sûr, mais plutôt de faire valoir ses compétences. Par exemple, le professeur vend ses idées à ses étudiants. L'adolescente persuade ses parents de la laisser rentrer plus tard. L'enfant saisit vite qu'il doit marchander avec ses parents. Soyez sans crainte, vous savez comment vous y prendre!

La capacité de se vendre est déterminante en affaires. On doit toujours faire valoir ses compétences, ses connaissances et sa perspicacité. Il s'agit de faire reconnaître au monde notre professionnalisme, notre enthousiasme pour le travail et notre intérêt pour le client ou l'entreprise.

103. La célèbre formule 85/15

Comment prenez-vous vos décisions d'achat? Lisez-vous des revues ou posez-vous des questions détaillées au vendeur? Dans certains cas, peut-être; mais la plupart des décisions reposent sur nos préférences. L'achat d'une voiture, par exemple, est principalement une question de couleur et de style.

Bien sûr, on lit des statistiques et des analyses, mais en bout de ligne, on choisit en fonction de critères émotifs, et non logiques. En fait, les études révèlent que nos décisions reposent à 85 p. 100 sur des critères émotifs, et à 15 p. 100 sur des critères logiques. On justifie ensuite notre décision à grand renfort de statistiques.

Vous reconnaissez-vous dans cette formule? Une personne qui vous apprécie vous fera confiance et voudra faire affaire avec vous. Comment se fait-on apprécier? En souriant aux gens, en leur réservant un accueil aimable. En somme, il s'agit de soigner son image.

La première impression s'apparente, en quelque sorte, à la réaction émotive. De toute évidence, il faut avoir les compétences voulues. Mais c'est grâce aux qualités humaines qu'on réussira à faire passer le courant. N'oubliez pas, les gens décident en fonction de leurs émotions. Assurez-vous d'établir un contact humain dès la première rencontre.

104. Faire semblant le temps qu'il faut

Tout le monde a une image de soi. Avec les années, on devient peut-être trop critique à son propre égard. Mais si l'on a une mauvaise image de soi, les autres risquent de nous percevoir négativement.

Pour réussir dans le monde des affaires, il faut à tout prix avoir confiance en soi. Comment l'acquérir si elle nous fait défaut? En observant simplement les gens qui sont sûrs d'eux. Par exemple, les gens qui ont du succès établissent le contact visuel. Apprenez à en faire autant. Exercez-vous jusqu'à ce que vos nouvelles habiletés deviennent une seconde nature.

Plus vous progresserez, plus les gens vous percevront comme une personne sûre d'elle-même et vous traiteront avec égards. Cette rétroaction vous fournira du renforcement positif. Puis, un jour, vous constaterez que vous avez réellement acquis cette assurance.

Règle d'or 18

En adoptant l'attitude de la personne que vous voulez être, vous la deviendrez réellement.

105. Le facteur des 12 secondes

Le facteur des 12 secondes est une notion empruntée à la vente au détail : un vendeur a 12 secondes pour attirer l'attention d'un client, que ce soit par la conception, l'emballage ou l'emplacement de son produit.

Il en va de même pour nous. Vous n'avez que quelques secondes pour faire une forte impression, mais c'est suffisant. Votre apparence, vos gestes, votre façon de vous exprimer vous révèlent immédiatement. Assurez-vous qu'ils reflètent une personne sûre d'elle et professionnelle.

Ces 12 secondes vous permettent d'ouvrir une porte. Après, vous aurez le temps de faire valoir vos mérites, de convaincre les gens de faire affaire avec vous. Il n'est pas nécessaire de revêtir une nouvelle personnalité ou de subir une chirurgie esthétique. Vous n'avez qu'à vous montrer sous votre meilleur jour. Concentrez-vous sur vos points forts, mettez en pratique les techniques présentées dans ces pages. Et faites la preuve que votre image vaut mille mots.

Les règles d'or

1. Votre apparence, c'est un peu comme votre CV visuel.

2. De toutes les choses que l'on porte, l'expression faciale est la plus importante.

3. Vos gestes en disent plus long que vos paroles.

4. Tendez la main aux gens, hommes et femmes, avec qui vous faites affaire.

5. Dans les présentations, nommez la personne la plus importante d'abord. N'oubliez pas, le client est toujours la personne la plus importante dans une relation d'affaires.

6. Pour montrer aux gens que vous les appréciez, désignez-les par leur nom.

7. Dans le monde des affaires, les règles sont les mêmes pour les hommes et les femmes.

8. Votre carte d'affaires représente votre image professionnelle. Assurez-vous qu'on la garde précieusement.

9. Les petits détails de votre apparence, c'est la touche finale.

10. Choisissez des vêtements qui conviennent au poste que vous voulez occuper, et non à celui que vous occupez déjà.

11. Un look classique moderne est toujours bien vu dans les milieux professionnels.

12. Un repas d'affaires permet de cultiver des relations.

13. Le réseautage vous met en rapport avec des gens capables de vous aider à atteindre vos objectifs professionnels.

14. Une présentation originale vous permet de faire bonne impression en une minute.

15. Le bavardage peut mener à de grandes choses.

16. La première impression que vous faites au téléphone risque d'être la seule.

17. Créez chez les gens une impression durable grâce à votre correspondance d'affaires.

18. En adoptant l'attitude de la personne que vous voulez être, vous la deviendrez réellement.

Lettre à un alignement

En-tête de l'entreprise

(Cinq espaces après l'en-tête)

Le 18 septembre 2001

Monsieur Jacques Tremblay
Titre
Nom de l'entreprise
1234, rue Principale
Saint-Jérôme (Québec)
J3T 5X4

Monsieur,

Voici un exemple de lettre d'affaires à un alignement. La lettre s'écrit sur le papier à en-tête de l'entreprise et adopte le présent format.

La lettre doit être claire et concise. Chaque idée doit être exposée dans un paragraphe individuel. Idéalement, elle se limite à une page. Elle se termine par une salutation.

Veuillez agréer, Monsieur Tremblay, mes salutations distinguées.

Linda Lévesque
Titre

Lettre avec alinéa

En-tête de l'entreprise

(Cinq espaces après l'en-tête)

Le 12 janvier 2001

Monsieur Jacques Tremblay
Titre
Nom de l'entreprise
1234, rue Principale
Saint-Jérôme (Québec)
J3T 5X4

Monsieur,

Voici un exemple de lettre d'affaires avec alinéa. La lettre s'écrit sur le papier à en-tête de l'entreprise et adopte le présent format. La date et la signature sont alignées à droite, et les paragraphes commencent en retrait.

La lettre doit être claire et concise. Chaque idée doit être exposée dans un paragraphe individuel. Idéalement, elle se limite à une page. Elle se termine par une salutation.

Veuillez agréer, Monsieur Tremblay, mes salutations distinguées.

Linda Lévesque
Titre

Exemple de note de service

NOTE DE SERVICE

DESTINATAIRE : Tout le personnel

EXPÉDITRICE : Linda Lévesque, directrice générale

DATE : Le 10 décembre 2001

OBJET : Rédaction des notes de service

Les notes de service, parfois appelées circulaires, se rédigent comme la présente.

Il n'est pas nécessaire de signer la note de service, bien que les initiales manuscrites de l'expéditeur peuvent figurer dans la marge gauche.

Télécopie – Page couverture

En-tête de l'entreprise

Destinataire : Jacques Tremblay, directeur, Marketing
Nº de téléc. : (604) 457-8759

Expéditeur : Julie Joly, comptable
Nº de téléc. : (514) 271-9384

Date : Le 20 septembre 2001

Nbre de pages : 4 pages, incluant la page couverture. En cas de réception incomplète, prière de téléphoner au (514) 271-8657.

Objet : **Budget de marketing provisoire – Janvier 2002**

Message : Le budget de marketing du prochain exercice est à l'ordre du jour de notre réunion. Vos commentaires y seront appréciés.

Pour commander

Le succès en prime

L'art de réussir sa première impression est le cadeau idéal pour quiconque cherche à percer sur le marché du travail.

Veuillez me faire parvenir _______ exemplaires de *L'art de réussir sa première impression*, au coût de 19,95 $ CA (taxes comprises) (frais d'expédition et de manutention de 2,50 $ en sus, par livre).

Rabais sur volume

Quantité	Prix unitaire	Expédition et manutention	Total

Vous trouverez ci-joint un chèque ou mandat-poste de _______ $.

Nom _______________________________

Adresse _______________________________

Ville/Province/État _______________________

Pays /Code postal _______________________

Tél. Bureau

Résidence ____________ ____________

Veuillez libeller et faire parvenir votre chèque à :

Les Séminaires Goldman
2212 Méditerranée
Montréal (Québec)
Canada H4R 3B1

À propos des auteures

Lynda Goldman et Sandra Smythe, auteures et conseillères spécialisées dans les questions d'étiquette, offrent leurs services aux entreprises, associations et universités. Toutes deux rompues à l'enseignement, elles donnent des séminaires très animés sur les secrets de l'étiquette.

Auteurs de 27 ouvrages, membres de la CAPS (Canadian Association of Professional Speakers) et responsables de la formation de cadres et d'étudiants à l'échelle internationale depuis une dizaine d'années, Mesdames Goldman et Smythe sauront répondre à vos questions sur l'image.

Pour plus d'information sur les livres, séminaires, ateliers et formations sur mesure offerts par Business Class, veuillez communiquer avec les auteures :

Lynda Goldman	**Sandra Smythe Thibaudeau**
Tél. : (514) 336-4339 Téléc. : (514) 336-9805 lynda@impressforsuccess.com	Tél. : (514) 731-0184 Téléc. : (514) 731-3871 sandra.thibaudeau@sympatico.ca